D1028716

HISTORIA MÍNIMA DE LA

Revolución cubana

HISTORIA MÍNIMA DE LA

Revolución cubana

Rafael Rojas

EL COLEGIO DE MÉXICO

TURNER

Título original:
Historia mínima de la Revolución cubana
© Rafael Rojas, 2015

De esta edición:
© Turner Publicaciones S. L., 2015
Rafael Calvo, 42
28010 Madrid
www.turnerlibros.com

DR © EL COLEGIO DE MÉXICO, A. C.
Camino al Ajusco 20
Pedregal de Santa Teresa
10740 México, D. F.
www.colmex.mx

Primera edición en esta colección: octubre de 2015

ISBN: 978-84-16354-05-4

Diseño de la colección:
Sánchez / Lacasta

Depósito Legal: M-21583-2015
Impreso en España

La editorial agradece todos los comentarios y observaciones:
turner@turnerlibros.com

ÍNDICE

INTRODUCCIÓN

I

Ésta es una historia mínima de un fenómeno complejo y cambiante, en un periodo de dos décadas, llamado Revolución cubana. Mínima historia, en el sentido que dio a estos términos el historiador mexicano Daniel Cosío Villegas, allá por los años setenta. El lector interesado en el tema no encontrará aquí desarrollos plenos de sucesos, personajes, conflictos y situaciones emblemáticos de aquella experiencia. Tampoco encontrará exploraciones a fondo de contextos locales, regionales o internacionales o aplicaciones óptimas de enfoques analíticos e historiográficos.

Me interesa, por el contrario, repasar las líneas maestras del cambio económico, social, político y cultural que vivió la isla entre los años cincuenta y setenta del pasado siglo. Mi apego a esas décadas parte de la apuesta conceptual y metodológica de las historiografías más contemporáneas sobre las grandes revoluciones modernas de los dos últimos siglos, donde se entiende ese tipo de fenómenos colectivos, estrictamente, como procesos que van de la destrucción del antiguo régimen a la construcción del nuevo.

Aunque en las páginas finales haremos algunos comentarios sobre la historia de Cuba en los años previos y posteriores a la caída del muro de Berlín y la desintegración de la URSS, partimos de una periodización precisa de la Revolución, que arranca a mediados de los cincuenta, con las oposiciones violentas y pacíficas a la dictadura de Fulgencio Batista, y culmina

con la codificación constitucional, en 1976, del nuevo orden
social y político creado durante los años sesenta e institucionalizado a principios de los setenta.

II

La Revolución cubana, como todas las revoluciones modernas,
produjo un cambio radical de la sociedad y el Estado en la isla
y un giro notable en las relaciones de esa nación caribeña con el
mundo. Después de enero de 1959, la historia cubana y la historia latinoamericana dieron un vuelco tan inesperado como
trascendente. Sin esa Revolución y sin sus líderes, sin sus políticas domésticas e internacionales, el último medio siglo, en
América Latina y el Caribe, habría sido distinto.

Al igual que la mexicana de 1910 o la rusa de 1917, la cubana de los años cincuenta comenzó como una reacción política
contra un régimen autoritario —la dictadura de Fulgencio Batista—, encabezada por un pequeño círculo de jóvenes de clase
media. En poco tiempo, como en México o Rusia, casi todos los
sectores de la población insular —campesinos, obreros, estudiantes, militares, políticos, empresarios, hacendados, comerciantes— se involucraron en un conflicto de dimensión nacional. La participación popular no sólo se manifestó en el bando
revolucionario, que militarmente siempre fue menor, sino también en el ejército de Batista y, sobre todo, en la intensa vida pública cubana de la segunda mitad de los cincuenta.

A diferencia de la Revolución mexicana, cuyos historiadores
han caracterizado como un conjunto de revoluciones simultá-
neas, con sus propias ideas y liderazgos (la maderista, la zapatis-
ta, la villista, la carrancista), y a semejanza de la rusa, el proceso
cubano parece escalonarse en dos momentos discernibles. Así
como León Trotski hablaba de una "revolución de febrero" y otra
"de octubre", se podría hablar también de una revolución cuba-

na, que estalla en 1956 y triunfa en enero del 59, y otra, emprendida desde el poder para transformar radicalmente la sociedad, que a partir de 1960 y, sobre todo, 1961, impulsa la transición a un socialismo de tipo comunista.

Las marcadas diferencias sociales y políticas, ideológicas e institucionales de esas dos revoluciones no impiden pensar, como en Rusia o en México, la Revolución cubana como un proceso único que arranca propiamente en 1956 y que concluye 20 años después, en 1976, con el fin de la institucionalización y la creación del nuevo orden constitucional del socialismo. Es en el lapso de esas décadas cuando se inicia y se consuma el cambio histórico que alteró la estructura social y económica del país, las instituciones del Estado, la cultura, la ideología y la educación y el rol de Cuba en el mundo bipolar de la Guerra Fría y en los movimientos nacionalistas y descolonizadores del Tercer Mundo.

No se puede narrar e interpretar un fenómeno tan disruptivo como la Revolución cubana sin una semblanza del antiguo régimen. ¿Qué entender por *ancien régime* en el caso de Cuba? ¿La dictadura de Fulgencio Batista entre 1952 y 1958? ¿La República constitucional de 1940, interrumpida por aquella misma dictadura? ¿O toda la experiencia republicana previa, desde la primera constitución poscolonial en 1901 y el primer gobierno cubano, encabezado por el presidente Tomás Estrada Palma en 1902? Al igual que otras revoluciones, que fueron varias en una, el concepto de antiguo régimen fue cambiando sensiblemente entre 1953, cuando se produjo el asalto al cuartel Moncada, y 1961, cuando se declaró el carácter socialista de la Revolución.

III

Si en la primera etapa revolucionaria, el objetivo de consenso entre las diversas organizaciones o líderes era la remoción de la dictadura de Batista, instaurada el 10 de marzo de 1952, y la restauración de la Constitución del 40, ya en el momento de la radicalización comunista la finalidad será la negación de todo el pasado republicano, en tanto "burgués", "capitalista" y "neocolonial".

Sin embargo, la Revolución cubana, como todas las revoluciones, desde la británica, la francesa y la norteamericana, en los siglos XVII y XVIII, tiene su origen, en buena medida, en valores y prácticas de resistencia pero también de afirmación del antiguo régimen. Esta paradoja explica, por ejemplo, que entre 1952 y 1958, buena parte de las ideas, el lenguaje público, la cultura jurídica y los programas políticos de la oposición violenta o pacífica, contuviera referentes propios del periodo republicano, especialmente de una revolución anterior, la de 1933 contra la dictadura de Gerardo Machado, y que dos de los partidos políticos surgidos durante la institucionalización de aquel proceso revolucionario, en los cuarenta, el Partido Revolucionario Cubano (Auténtico) y el Partido del Pueblo Cubano (Ortodoxo), desempeñaran un papel importante, aunque no decisivo, en la oposición al régimen del 10 de marzo de 1952.

A pesar de que hasta 1958 hubo proyectos pacíficos y electorales que buscaron el fin de la dictadura, desde 1953 y, sobre todo, a partir de 1956, la vía insurreccional se convirtió en la forma predominante de la lucha contra un gobierno que los principales actores de la sociedad civil y política consideraban "de facto". En las insurrecciones urbanas y rurales convergieron sectores de los viejos partidos opositores, juventudes universitarias, obreras y profesionales, militares disidentes y una importante masa campesina, que conformó la base social del Ejército Rebelde en la Sierra Maestra.

La presión que esas insurrecciones ejercieron sobre los centros de poder social, económico y político en las principales ciudades de la isla, y el contacto de la ciudadanía con el proceso revolucionario, por medio de una esfera pública sumamente dinámica, en torno a la prensa, la radio y la televisión, provocaron el colapso de la dictadura en diciembre de 1958. Sin una visión de conjunto de aquella crisis de legitimidad, no se entiende que una guerrilla de varios miles derrotara a un ejército, bien armado, de varias decenas de miles. En los últimos meses de 1958, los propios oficiales del ejército de Batista y los servicios consulares de Estados Unidos en la isla reportaban que 80 o 90% de la población, en provincias como Oriente y Las Villas, estaba con los rebeldes. La huida de Fulgencio Batista hacia Santo Domingo, donde fue protegido por el dictador dominicano Rafael Leónidas Trujillo, y la entrada de los rebeldes de la Sierra Maestra y el Escambray en La Habana, en enero de 1959, marcan el inicio de la Revolución cubana en el poder. Un primer gabinete revolucionario, conformado, fundamentalmente, por políticos civiles de los partidos tradicionales y el Movimiento 26 de Julio, inició una acelerada labor legislativa y ejecutiva, toda vez que las instituciones representativas de la República habían sido canceladas. Aunque la legislación revolucionaria mantuvo un ritmo sostenido a partir de 1959, bajo la presidencia de Manuel Urrutia Lleó y el primer ministerio de José Miró Cardona, es con la llegada de Fidel Castro al gabinete, en febrero, y sobre todo, con la salida de Urrutia de la presidencia, en el verano, que dicho ritmo se acelera.

IV

Durante todo el año 1959, el primer gobierno revolucionario promulgó decretos que comenzaban a transformar la economía y la sociedad cubanas. La principal medida de aquel año fue una segunda Reforma Agraria, en mayo de ese año, si se toma como "primera" la firmada por los comandantes Humberto Sorí Marín y Fidel Castro en la Sierra Maestra, en 1958. A pesar de haber sido una reforma moderada, esa ley provocó un fuerte debate en la esfera pública de la isla y las primeras tensiones con Estados Unidos. Aun así, las principales disensiones dentro del primer gabinete estuvieron determinadas por el dilema de cuál era la orientación ideológica del proyecto cubano.

Las renuncias de Miró Cardona y Urrutia, el arresto del comandante Huber Matos y las crisis ministeriales entre fines de 1959 y mediados de 1960, que colocaron fuera del gobierno a políticos moderados, provenientes de los viejos partidos Auténtico y Ortodoxo, del Movimiento 26 de Julio urbano o de la Sierra Maestra (Humberto Sorí Marín, Faustino Pérez, Manuel Ray, Elena Mederos, Rufo López Fresquet, Felipe Pazos, Enrique Oltuski), estuvieron marcados por el debate sobre el comunismo, dentro de la nueva clase política, pero también de la sociedad civil y la opinión pública cubanas.

El nuevo gobierno revolucionario que emerge de aquellas fracturas, encabezado centralmente por Fidel y Raúl Castro, Ernesto *Che* Guevara y el presidente Osvaldo Dorticós, impulsa, con una resolución asombrosa, en menos de dos meses, la nacionalización de la gran mayoría de la producción industrial y agropecuaria, los servicios públicos y buena parte del mercado interno insular. A principios del año siguiente, en medio de la creciente confrontación con Estados Unidos, la dirigencia revolucionaria anunció que la isla entraba en una fase de transición socialista y se preparó para extender la hegemonía del Estado a todos los sectores de la sociedad, la cultura y la ideología.

Esa primera etapa de la transición socialista está caracterizada por una imaginativa política de masas, que en pocos meses articuló el tejido de las principales organizaciones sociales (Central de Trabajadores de Cuba, Asociación Nacional de Agricultores Pequeños, Comités de Defensa de la Revolución, Federación de Mujeres Cubanas…) y propició la gran incorporación popular a la defensa, por medio de las milicias, o de la alfabetización, con las brigadas de maestros voluntarios. A la vez que la sociedad se politizaba y el Estado afirmaba su hegemonía sobre la sociedad, distintas capas sociales del antiguo régimen o de la nueva oposición anticomunista eran excluidas del nuevo orden en construcción.

La convergencia de esa política de masas y la primera fase de la institucionalización socialista, a principios de los sesenta, dio lugar al surgimiento de un Estado con una gran capacidad de intervención en la vida cotidiana. Un Estado que lo mismo movilizaba a toda la población para la defensa del país, frente a amenazas como la invasión de Bahía de Cochinos, la "crisis de los misiles" o desastres naturales, como el ciclón "Flora" de 1963, que implementaba ambiciosos planes de instrucción y vacunación o creaba un enorme aparato de seguridad interna, que aplicó eficazmente la represión preventiva o casuística.

Con la transición al socialismo vino, también, un dramático ajuste de las relaciones internacionales de la isla, ya ubicada entre 1961 y 1962, es decir, entre la fracasada invasión de Bahía de Cochinos y la crisis de los misiles, en el centro de la Guerra Fría. El naciente gobierno socialista, expulsado y aislado de la OEA y rotos sus vínculos con buena parte de las naciones latinoamericanas, entró en una etapa de intensa relación con el campo socialista, en la que intentó sobrellevar, hasta 1965, las desavenencias entre la Unión Soviética y China.

A la par de esa inserción parcial en el campo socialista, no carente de fricciones intermitentes tanto con la URSS como con China, los líderes de la Revolución desarrollaron un impresionante activismo internacional, que lo mismo financió, planeó e introdujo guerrillas en diversos países de América Latina, África, Asia y el Medio Oriente, que alentó movimientos de izquierda y partidos comunistas en esas mismas regiones, dialogó con el marxismo occidental o impulsó las descolonizaciones del Tercer Mundo y el grupo de los No Alineados.

V

Hasta fines de la década de los sesenta, un fuerte debate interno sobre los marcos rectores de la política económica, de la política cultural y, en general, de la ideología y la estrategia internacional del socialismo dividió a la dirigencia cubana. Fue una división siempre mediada y negociada, dentro de los términos de una lealtad suprema a Fidel Castro, que nunca llegó a la fractura, pero que produjo reiteradas purgas y alianzas internas. Todavía en los años posteriores a la muerte del Che Guevara, en Bolivia, durante el breve periodo de la llamada "Ofensiva Revolucionaria" (1967-1968), la máxima dirección de la Revolución parecía no saber qué rumbo seguir.

A principios de los años setenta, con el ingreso de Cuba al CAME (Consejo de Ayuda Mutua Económica) y un proceso de institucionalización bastante apegado al modelo soviético, aunque con las peculiaridades asociativas y discursivas de la Revolución, en su primera década, el Estado socialista entró en periodo de larga continuidad en sus políticas públicas. Es durante ese prolongado tramo de estabilidad y crecimiento, que alcanza su clímax con la instalación de la Asamblea Nacional y la proclamación de la Constitución de 1976, cuando puede afirmarse que un nuevo orden social y un nuevo régimen político han sido finalmente creados.

A partir de entonces será sumamente difícil hablar de revolución en Cuba, si por revolución entendemos lo que la historiografía contemporánea argumenta a propósito de otras revoluciones, como la francesa, la norteamericana, la rusa, la china o la mexicana. Un Estado ya constituido y un cambio social consumado entrarán, desde mediados de los setenta, en una estabilidad y una continuidad que, a pesar de leves giros ideológicos y políticos en las décadas siguientes, se mantendrán, en lo esencial, hasta la primavera de 2011, cuando se celebra el sexto Congreso del Partido Comunista de Cuba, que introduce las reformas más importantes a la política económica de la isla en más de medio siglo.

En las cuatro décadas que siguieron a la Constitución de 1976, esa sociedad y ese Estado se han visto sometidos a coyunturas y alteraciones importantes. La llamada "Rectificación de errores y tendencias negativas", en la segunda mitad de los ochenta, la caída del muro de Berlín en 1989 y la desintegración de la URSS en 1991, la reforma constitucional de 1992, que adaptó el Estado y la sociedad al escenario postsoviético, el "período especial" en los noventa, la reforma constitucional de 2002 que declaró el "socialismo irrevocable", la convalecencia de Fidel Castro en 2006 y la sucesión a partir de ese año, conducida por Raúl Castro, son algunas de esas transformaciones.

Pero hasta las reformas de los últimos tres años, que modifican sensiblemente algunas premisas de la política económica y retoman o profundizan otras de los años ochenta y noventa, el sistema político y el funcionamiento de la economía, la sociedad y la cultura cubanas se han mantenido dentro del orden institucional codificado en 1976. Un orden social creado en los años sesenta, pero que alcanza su plena institucionalización a mediados de los setenta, dando por concluido, en lo fundamental, el proceso de cambio iniciado por la Revolución.

EL ANTIGUO RÉGIMEN

En la reedición actualizada de su clásico *Geografía de Cuba* (1950), en 1966, el historiador cubano Levi Marrero proponía una síntesis estadística de Cuba, en la década de los cincuenta, que complementaba los datos del censo de 1953. La población de esa isla caribeña de 110 000 kilómetros cuadrados, rebasaba los seis millones de habitantes, de los cuales un millón y medio vivían en la occidental provincia de La Habana, cerca de dos en la provincia de Oriente y otro más en la central Las Villas, las tres regiones más pobladas y urbanizadas del país. La población era mayoritariamente joven —había cerca de cuatro millones de cubanos entre las edades de cinco y 40 años—, vivía en zonas urbanas —60% en todo el país y 90% en La Habana— y su composición étnica, según el censo de 1953, reportaba 4 243 956 blancos y 1 585 073 de "otras razas", es decir, de "negros, mestizos y amarillos".

La economía de la isla seguía siendo fundamentalmente agraria, pero el país vivía un acelerado proceso de urbanización y expansión de los servicios. Entre 1954 y 1958 se invirtieron 92 millones de dólares anuales en la construcción de viviendas, a razón de cerca de 5 000 edificios por año, muchos de ellos multifamiliares, con servicios de agua corriente y electricidad. Entonces Cuba era el principal productor de azúcar, con zafras que promediaban, anualmente, cinco millones y medio de toneladas. Pero a pesar de que la mitad de la tierra cultivable se dedicaba al azúcar, 34% de la misma se destinaba a la ganadería y la producción de alimentos era suficiente para garantizar el 75%

del consumo interno, según cifras de la CEPAL. Algunos datos ofrecidos por Marrero completaban el cuadro del desarrollo económico y social de la isla: seis millones de cabezas de ganado, consumo de 2 370 calorías diarias, un automóvil por cada 40 habitantes, un teléfono por cada 38, un radio por cada seis y un televisor por cada 25. Según la ONU, el producto interno bruto total de Cuba, en 1958, era de 2 360 millones de dólares, mientras el per cápita era de 356 dólares, pero, a juicio de Marrero, la cifra era mayor, de 374, colocando a Cuba sólo por debajo de Venezuela, Uruguay y Puerto Rico, en América Latina.

A pesar de esas cifras, Cuba era un país subdesarrollado y desigual. Las zonas urbanas estaban concentradas en las ciudades capitales de La Habana, Santiago de Cuba y Las Villas. Un millón y medio de cubanos no había cursado el primer grado y más de 20% de la población era analfabeta, mayoritariamente concentrada en los campos. De 159 958 fincas, cerca de 900 eran mayores de 1 000 hectáreas y menos de 30% de sus dueños eran reconocidos como propietarios. La mayor parte de la tierra cultivable, dedicada a la ganadería o a la producción de cereales, legumbres, viandas, hortalizas y frutos, caía dentro de categorías de tenencia de la tierra, como las de los "administradores, arrendatarios, partidarios y precaristas", que reflejaban la explotación del trabajo rural por parte de una minoría. Las condiciones de educación, salud, vivienda, alimentación, electricidad, agua y drenajes eran mucho peores en el campo que en la ciudad.

La balanza comercial de Cuba, en los años cincuenta, reflejaba un aumento de la dependencia de Estados Unidos. Si en 1948, la isla destinaba a Estados Unidos 52% de sus exportaciones, a mediados de la década siguiente el gran país del norte asimilaba 68% del comercio exterior. Las importaciones mostraban esa dependencia con mayor claridad: desde los años cuarenta, cerca de 80% de lo que Cuba compraba provenía de Estados Unidos. La balanza comercial del país no estaba desequilibrada —era más o menos lo mismo lo que el país exportaba que lo que importaba y en 1955, por ejemplo, la isla exportó 594 millones de pesos e importó 575—, pero ambos movimientos del comercio exterior estaban excesivamente concentrados en el azúcar y en Estados Unidos como comprador y vendedor. El azúcar, por ejemplo, representaba en los años cincuenta, más del 80% del comercio cubano, mientras que el tabaco, por su parte, no rebasaba el 8 por ciento.

Junto a esos desequilibrios propios de un país subdesarrollado de América Latina y, especialmente, del Caribe, la crisis del antiguo régimen cubano, en los años cincuenta, tuvo un carácter específicamente político. La década había arrancado con un nuevo ciclo electoral, previsto para junio de 1952, en el que se produjeron importantes ajustes en el sistema de partidos. Una ley electoral de 1943, que había codificado la competencia por la representación legislativa y el Poder Ejecutivo, de acuerdo con la Constitución semiparlamentaria de 1940, favoreció la formación de nuevas alianzas electorales. Aquel código pretendió reformar el de 1939, que establecía la elección presidencial indirecta, a partir de un llamado Colegio de Compromisarios Presidenciales y Vicepresidenciales, elegidos por cada provincia, en número igual a la totalidad de senadores y miembros de la Cámara de Representantes por la respectiva provincia. A pesar de ser Cuba una pequeña República unitaria, el sistema electoral reproducía los mecanismos indirectos y regionales del federalismo norteamericano.

El Código Electoral de 1943 suprimió el Colegio de Compromisarios Provinciales y estableció la elección directa de presidente y vicepresidente a partir de un voto fusionado por provincias. La reforma le dio un mayor peso al voto popular, pero al persistir el cómputo del sufragio por provincias, privilegió la representatividad de las regiones más pobladas, es decir, La Habana, Oriente y Las Villas. A pesar de sus limitaciones, aquella reforma electoral de 1943 provocó un vertiginoso reajuste del sistema de partidos, que en pocos años otorgó al Partido Revolucionario Cubano (Auténtico) una mayoría relativa, insuficiente para llegar al poder sin coaliciones. La alianza de los auténticos con los republicanos, permitió al candidato de los primeros, Ramón Grau San Martín, ganar con 55% del sufragio, frente a otra coalición, la de los comunistas, liberales, demócratas y el partido ABC, que impulsó la candidatura de Carlos Saladrigas.

Luego de 1944, esa mayoría relativa de los auténticos creció extraordinariamente en el Congreso, lo cual, para un régimen semiparlamentario como el cubano, era el principio de una eventual hegemonía. Si en 1944, los auténticos controlaban 23% de la Cámara de Representantes, en 1946 controlarán 36%, en 1948, 43% y en 1950, 42%. Ni siquiera en el Senado, donde los auténticos alcanzaron 50% de los escaños, en 1948 el partido gobernante logró mayoría plena. El desprendimiento de una parte importante del "autenticismo", bajo el liderazgo de Eduardo Chibás, había dado lugar al surgimiento del Partido del Pueblo Cubano (Ortodoxo), que desafió la hegemonía "auténtica". En las elecciones presidenciales de 1948, sin más presencia legislativa que la de unos cuantos legisladores disidentes del "autenticismo", Chibás alcanzó el tercer lugar, con 16.5% del sufragio, frente al 46% del candidato oficial, Carlos Prío Socarrás, 30% de la Coalición Liberal-Demócrata de Ricardo Núñez Portuondo y 7.2% de los comunistas Juan Marinello y Lázaro Peña.

Los resultados de las elecciones de 1948 convencieron a Chibás y a la dirigencia ortodoxa de que era posible ganar las elecciones presidenciales, sin contar con un importante respaldo legislativo. La apertura del voto popular, operada por la reforma electoral de 1943, y una presencia sostenida en los medios de comunicación de la isla, podían asegurar el triunfo. Buena parte de la ofensiva mediática de Chibás, a través de su programa radial de todos los domingos en la CMQ y en constantes artículos y entrevistas en la revista *Bohemia*, contra la corrupción del gobierno de Carlos Prío Socarrás y varios miembros de su gabinete, como el ministro de Educación Aureliano Sánchez Arango, el de

Gobernación Rubén de León García o los primeros ministros Manuel Antonio de Varona y Félix Lancís. El discurso patriótico y moral de Chibás, basado en el lema "vergüenza contra dinero", cautivó a amplios sectores de la juventud cubana, que se sumaban a la política nacional por medio de una esfera pública cada vez más dinámica y plural.

La presencia de Chibás en la opinión pública daba al candidato ortodoxo una gran visibilidad nacional, que su partido incrementó con redes proselitistas en las provincias. Una encuesta de mayo de 1951, publicada en la revista *Bohemia*, otorgaba a Chibás una intención de voto de 39.18%, en Oriente, seguido de lejos por Batista, con 20.66%. En Las Villas, otra provincia muy poblada, la diferencia también era considerable, de casi 15 puntos porcentuales. Con una mayoría holgada en Oriente y Las Villas, Camagüey, Matanzas y Pinar del Río, los ortodoxos podían hacer frente a la competencia en La Habana, donde Batista era bastante popular y donde las maquinarias del Partido Auténtico y otras organizaciones, viejas o nuevas, funcionaban con mayor eficacia.

La acelerada politización de la juventud cubana, que tenía a la Universidad de La Habana como su centro catalizador, y amplios sectores de la creciente clase media, simpatizantes de la Ortodoxia, llegaron al clímax en el verano de 1951, cuando Chibás, luego de su alocución dominical, que llamó "último aldabonazo" a la conciencia del pueblo, se pegó un tiro en el vientre. El suicidio de Chibás se produjo luego de varias semanas de controversia entre el senador ortodoxo y el ministro de Educación, Aureliano Sánchez Arango, quien era acusado por el popular político opositor de haber malversado los fondos públicos de los desayunos escolares para construir un "emporio maderero" en Guatemala. Sin poder presentar pruebas definitivas de su acusación, Chibás pareció optar por una inmolación que, en efecto, estremeció a sus muchos seguidores.

Para fines de 1951, el partido oficial exhibía 700 000 afiliaciones políticas, en un electorado de 2 800 000 sufragantes, lo cual era una ventaja notable pero no decisiva para asegurar el triunfo en las elecciones de 1952. El *boom* económico que vivía la isla, con zafras de seis millones de toneladas de azúcar, generaba una atmósfera favorable que líderes y partidos opositores intentaban deshacer con críticas a la corrupción y la malversación de fondos públicos y el latrocinio. Uno de los líderes opositores, el entonces senador Fulgencio Batista declaraba, por ejemplo, a la revista *Bohemia* que la bonanza económica de la isla era ficticia y que si no se ponía freno al despilfarro del gobierno el país entraría en bancarrota. Líderes ortodoxos, candidatos al Senado por La Habana, como Manuel Bisbé, Pelayo Cuerzo, Jorge Mañach o Carlos Márquez Sterling, hicieron pronunciamientos similares.

LA DICTADURA

Fulgencio Batista había sido una figura central de la Revolución de 1933, desde la rebelión de los sargentos del 4 de septiembre de ese año, que reconstruyó las bases sociales del ejército cubano. Entre 1933 y 1944, Batista fue una presencia constante en el alto mando militar y político de la isla, primero como miembro de la pentarquía, como general en jefe o como primer presidente constitucional de la República, entre 1940 y 1944, luego de la firma de la Constitución de 1940. A pesar de la impopularidad del gobierno de Carlos Prío Socarrás, a la altura de 1952, que afectaba, sobre todo, al candidato oficial del Partido Auténtico, Carlos Hevia, el consenso en torno a la Constitución del 40 seguía siendo tangible y la ascendente popularidad del Partido Ortodoxo y su candidato, Roberto Agramonte, apuntaban a un escenario de alternancia en el poder, entre los auténticos y los ortodoxos, con el texto constitucional como garantía de la sucesión presidencial.

Batista había decidido regresar al poder, probablemente desde fines de los cuarenta. Para ese fin creó un partido minoritario, llamado Partido de Acción Unitaria (PAU), que en 1950 sólo tenía cuatro representantes en la Cámara, frente a 57 de los auténticos, 13 de los ortodoxos y nueve de los comunistas. Esa condición subalterna lo impulsó a crear diversas alianzas electorales, como había hecho con éxito, con los comunistas, en las elecciones de 1940. El propósito de Batista era crear un frente opositor que intentara quebrar la tensión binaria entre auténticos y ortodoxos. La idea de un bloque opositor alternativo a la Ortodoxia avanzó por medio de un intento de alianza con el Partido Nacional Cubano (PNC), una organización formada por el alcalde de La Habana, Nicolás Castellanos, a quien Batista ofreció inicialmente la vicepresidencia, y el también ex auténtico Guillermo Alonso Pujol, quienes, a su vez, buscaban aliarse al ex presidente Ramón Grau San Martín, separado del "autenticismo" en el llamado Partido de la Cubanidad.

El PAU y el PNC eran partidos muy pequeños que, juntos, no rebasaban el 15% del electorado. En una entrevista aparecida en el periódico *El Mundo*, en abril de 1951, el senador Batista aseguraba que en las elecciones de junio del año siguiente, el "autenticismo" sería derrotado por el cúmulo de disensiones que estaba generando. Al ser preguntado si estaría dispuesto a una alianza con Grau San Martín, el general respondía que la única coalición pactada era con Castellanos, Pujol y el PNC. El suicidio del ortodoxo Eduardo Chibás, por entonces el candidato más popular de la oposición, el 16 de agosto de 1951, alteró el mapa de la oposición y Castellanos reformuló la alianza con Batista. Cuando se actualizan las afiliaciones partidistas, en octubre de 1951, el PAU de Batista supera por un punto porcentual al PNC de Castellanos, pero este último se muestra reacio a la alianza, tal vez por interés en negociar con Grau San Martín.

Se produce entonces una presión mutua de ambos líderes, Batista y Castellanos, en torno a quién sería el titular de la candidatura, que termina en la ruptura de esa alianza en las Navidades de 1951. Entonces Batista plantea una alternativa al sistema de partidos, que no ha sido suficientemente comentada por los historiadores y que podría leerse como una insinuación del golpe. La prensa habanera reportaba, en enero de 1952, que Batista estaba dispuesto a declinar su candidatura si era posible organizar un frente unido de toda la oposición, incluyendo a los ortodoxos y a los comunistas, con la única condición de que éstos esclarecieran cuál sería su posición "en caso de guerra entre las Naciones Unidas y la URSS". Ortodoxos y comunistas rechazaron, en voz de sus titulares Eduardo Chibás y Blas Roca, las declaraciones del general: los primeros por estar a la delantera en la competencia electoral y los segundos por lealtad ideológica a Moscú.

La fractura del pacto entre Batista y Castellanos produjo una reconciliación de los disidentes auténticos con el gobierno de Prío Socarrás y un respaldo al candidato oficial, Carlos Hevia. En febrero de 1952, el propio ex presidente Grau San Martín decidió unirse al bloque gubernamental, que crecía rápidamente, con el propósito de evitar el triunfo de la Ortodoxia. El 9 de marzo, un día antes del golpe de Estado, las asambleas nacionales de los partidos confirmaban sus candidatos definitivos: Carlos Hevia y Luis Casero eran la fórmula respaldada por cinco partidos (auténticos, liberales, demócratas, nacionales y de la "cubanidad"), mientras Roberto Agramonte y Emilio Ochoa seguían siendo la del Partido del Pueblo Cubano (Ortodoxo). Muy por debajo de estas alternativas, se encontraban Fulgencio Batista como candidato solitario del PAU y Juan Marinello por los comunistas.

Batista comprendió que no tendría posibilidades de ganar por la vía electoral y que cualquiera de las dos opciones más probables, la reelección de los auténticos o el triunfo de los ortodoxos, eran contrarias a sus intereses y los de un sector importante, aunque no mayoritario, de las élites económicas y políticas de la isla. Con frecuencia, la historiografía da por segura la posibilidad de un triunfo ortodoxo en las elecciones de junio de 1952, pero habría que considerar que la candidatura oficial llegaba a las elecciones con una alianza del mayor partido político del país —con 689 814 afiliados— en alianza con cuatro partidos minoritarios. Los ortodoxos arribaban a la contienda con 359 391 afiliaciones partidistas, aunque con una preferencia electoral, claramente favorable a Eduardo Chibás, en las célebres encuestas de la revista *Bohemia*, de abril y diciembre de 1950.

Fue entonces cuando Batista planeó y ejecutó, con el respaldo de la alta oficialidad del ejército, que le era leal, el golpe de

Estado del 10 de marzo de 1952 contra el presidente Prío Socarrás. La asonada no estaba dirigida únicamente a derrocar al presidente y su gabinete, a los que quedaban sólo medio año de gobierno, sino a evitar el triunfo del candidato oficial o la llegada al poder de Agramonte y el Partido Ortodoxo, que aún vivía el duelo por el suicidio de su líder Eduardo Chibás. Al margen de las diferencias de personalidad entre un político extremadamente popular como Chibás y un académico como Agramonte, sociólogo y filósofo de la Universidad de La Habana, lo cierto era que el chibasismo, en tanto corriente de opinión contra la corrupción administrativa y la malversación de fondos públicos, contaba con respaldo, sobre todo entre los miembros de la Juventud Ortodoxa, y buscaría tener presencia en el gabinete de Agramonte. Batista se propuso impedirlo y, para lograrlo, tenía el apoyo del ejército que él mismo había construido desde los años treinta.

Es interesante observar el lenguaje que utilizó el general para justificar el golpe de Estado ante la ciudadanía. En una "proclama" emitida tras la ocupación del cuartel Columbia, en la ciudad de La Habana, Batista hablaba en nombre de una "junta revolucionaria" que lo nombraba "jefe de Estado" y lo autorizaba a remover el gobierno de Carlos Prío Socarrás. El pretexto era que el presidente Prío estaba "fraguando", a su vez, un "inminente" golpe de Estado para el día 15 de abril, "con objeto de evitar la decisión electoral señalada para el día primero de junio". Batista reprochaba, además, al presidente no haber respetado la neutralidad en el proceso electoral ("la majestad del poder moderador y de solidaridad nacional que le venía impuesto por la Constitución") y anunciaba que permanecería en el poder "por el tiempo indispensable", hasta convocar a nuevas elecciones:

> Preocupado por la falta de garantías para la vida y hacienda de los habitantes de este país y la corrupción política y administrativa imperantes, y sólo por eso, he aceptado la responsabilidad de permanecer en el poder por el tiempo indispensable

para restablecer el orden, la paz y la confianza públicas, a fin de que, tan pronto se logren esos objetivos, pueda resignar el poder en los mandatarios que el pueblo elija.

Un mes después del golpe, ya Batista no se presentaba como "jefe de Estado" sino como "jefe de Gobierno" —un cargo no previsto en la ley— y como primer ministro en funciones, de acuerdo con la Constitución semiparlamentaria de 1940. Ese jefe de Gobierno, junto con un Consejo de Ministros y un Consejo Consultivo, acapararía los poderes Ejecutivo y Legislativo hasta noviembre de 1953, cuando se celebrarían elecciones parlamentarias y presidenciales. Hasta entonces, se gobernaría por decreto y la primera ley decretada sería la conocida "Estatutos Constitucionales del Viernes de Dolores", promulgada el 4 de abril de 1952. Allí Batista y sus ministros (Miguel Ángel de la Campa, Ramón O. Hermida, Miguel Ángel Céspedes, Marino López Blanco, Alfredo Jacomino…), decían:

Fieles al espíritu de la Revolución y recogiendo los más hondos anhelos del pueblo cubano, promulgamos estos Estatutos Constitucionales, que organizan el Estado acorde con los principios esenciales que ha consagrado nuestra historia, y que establecen las normas indispensables para avanzar hacia el cabal cumplimiento de las promesas que solemnemente hicimos a la nación   La Revolución habría cristalizado orgánicamente en la Carta Constitucional de 1940, emanada de limpios y ejemplares comicios, que asentaban una tradición política fundada en la pureza y libre emisión del sufragio. Pero esta tradición y todo el sentido histórico de nuestro texto básico, fueron objeto de imperdonable desdén por aquellos en quienes la función de gobernantes obligaba a mayor respeto y más alta responsabilidad.

Otras ocho veces más, Batista utilizaba la palabra "Revolución", con mayúscula, en la "Declaración preliminar" de los Estatutos Constitucionales. Muchos contemporáneos, como el joven abogado Fidel Castro, en un artículo titulado "Revolución no, zarpazo", aparecido en el periódico *Alerta*, dirigido por el conocido periodista Ramón Vasconcelos, y luego varios historiadores, han interpretado que cuando Batista apelaba al concepto de "Revolución" se refería al propio cuartelazo del 10 de marzo de 1952, pero lo cierto era que se refería a la Revolución de 1933, cuyo legado reclamaba para sí. Era, supuestamente, en nombre de aquella revolución, que Batista disolvía los poderes republicanos e imponía un gobierno provisional, respaldado por los "institutos armados" bajo la bandera del 4 de septiembre de 1933.

Batista no sólo reemplazaba la Constitución del 40, en nombre de la misma Constitución, sino que anunciaba una derogación del Código Electoral de 1943 y una reforma del sistema de partidos antes de las elecciones de noviembre de 1953. La voluntad de deshacerse de un sistema político que había impedido su regreso al poder era, entre los golpistas, tan evidente como el cuidado que ponían en ganarse el apoyo de las autoridades municipales y locales, que preservaban en sus puestos, o de los propios congresistas, quienes a pesar de ser cesados seguirían recibiendo su salario hasta la reinstalación de la Cámara de Representantes y el Senado. El régimen, sin embargo, era estricto en su aplicación del estado de emergencia: las garantías constitucionales se suspendían, se aplicaba el toque de queda, se prohibía el derecho a huelga y se procedía a una requisa de armas entre la población.

Batista no era un político impopular antes del golpe de Estado. En las citadas encuestas de *Bohemia* de 1950, el senador del PAU quedaba inmediatamente por debajo de Chibás. En una de esas encuestas, la de mayo de 1951, poco antes del suicidio de Chibás, éste obtenía 38.18 puntos y Batista 20.66, seguidos muy de lejos por el candidato oficial, Carlos Hevia, con sólo 2.35. A una pregunta sobre qué tendencia favorecían más los votantes, la del gobierno, la de Chibás y la de los otros partidos y líderes, una mayoría de los encuestados optó por la última, entre la que sobresalía Batista. Aunque en las provincias predominaba la intención de voto favorable a Chibás, en La Habana, aquella encuesta reportaba que el general era rebasado sólo por un punto y medio porcentuales: Chibás (23.96), Batista (22.04). Esa base de popularidad, unida al deterioro de la imagen de Prío y la ausencia de Chibás, produjo la pasividad inicial con que la sociedad cubana reaccionó al golpe del 10 de marzo.

En un principio, la sociedad civil y la clase política cubanas se enfrentaron al golpe con una tensa calma, que era más consecuencia de la precaución que de la conformidad. Batista había hecho una exhibición de fuerza en el cuartel de Columbia, a la que siguió en días siguientes el arresto preventivo, por parte del Servicio de Inteligencia Militar (SIM), de varios líderes del Partido del Pueblo (Ortodoxo), como el candidato Roberto Agramonte, Carlos Márquez Sterling, Manuel Bisbé y José Pardo Llada. Tras un conato de huelga de la Confederación de Trabajadores de Cuba, cancelado por el líder sindical Eusebio Mujal Barniol, el foco de resistencia a la dictadura se concentró en la Universidad de La Habana. Los estudiantes organizaron juramentos y entierros simbólicos de la Constitución del 40 y manifestaciones públicas en la escalinata y en los alrededores del recinto, que eran disueltas por la policía. En una de esas reyertas murió el estudiante Rubén Batista, primera víctima de la represión.

En Cuba había menos de tres millones de electores empadronados y, de ellos, dos o poco más de dos, probablemente, habrían ejercido el voto en las elecciones de junio de 1952. La población politizada, afiliada a los partidos o pendiente de la política nacional a través de la prensa, la radio y la televisión, era menor aún. Entre la élite de los partidos tradicionales, además de un considerable apoyo a Batista, predominaba la generación nacida en los primeros años del siglo XX, que había protagonizado la Revolución de 1933. El promedio de edad en la clase política cubana giraba alrededor de los 50 años, pero el *boom* demográfico, asociado al sostenido crecimiento económico y al aumento de la inmigración en las primeras décadas del siglo XX, estaba sumando una nueva generación a la vida pública. No se entiende la Revolución cubana sin la emergencia de esa juventud educada y politizada en las instituciones republicanas. Aunque líderes "ortodoxos" como Roberto Agramonte y Pelayo Cuervo mantuvieron sus denuncias contra la inconstitucionalidad del régimen y contra la corrupción del gobierno, en publicaciones como la revista *Bohemia*, Batista logró terminar el año 1952 sin mayores percances. Dos semanas después del golpe, el embajador norteamericano Willard L. Beaulac reconocía, a nombre del gobierno de Harry S. Truman, al gobierno de Batista. Otras dictaduras y gobiernos iberoamericanos, además de España y México, también extendieron su reconocimiento al régimen del 10 de marzo y hasta la Unión Soviética, luego de un conflicto puntual por la valija diplomática, restableció relaciones diplomáticas y comerciales con La Habana, llegando a comprar 200 000 toneladas de azúcar de la isla. En la primavera de 1953, reunidos en Montreal, varios líderes opositores exiliados, "auténticos" y "ortodoxos", encabezados por el ex presidente Prío Socarrás y el líder "ortodoxo" Emilio Ochoa, reconocían que debían enfrentarse solos a la dictadura.

Un recurso de inconstitucionalidad contra el régimen de Batista, interpuesto por el abogado Ramón Zaydín, ex ministro de Comercio de Prío, a nombre de 25 personalidades, entre las que destacaba el veterano mambí Cosme de la Torriente, presidente de la Sociedad de Amigos de la República, además de varios líderes de la Ortodoxia, fue finalmente desechado por el Tribunal de Garantías Constitucionales y Sociales en el verano de 1953. Las vías de oposición legal o cívica a la dictadura de Batista parecían obstruidas por la propia inconstitucionalidad del régimen o por su formidable fuerza represiva. Fue entonces que la juventud de clase media y obrera, universitaria o afiliada a la base de partidos, como el Ortodoxo, tomó la iniciativa y resolvió enfrentarse con las armas al gobierno.

LA OPOSICIÓN VIOLENTA

Desde abril de 1953, una parte de la oposición a la dictadura comenzó a dar muestras de inclinarse por la vía violenta. Si Batista había establecido un régimen *de facto*, clausurando las instituciones representativas que permitirían el accionar de una oposición pacífica, era preciso, según esos opositores, adoptar el camino de las armas. El 5 de ese mes, el Movimiento Nacionalista Revolucionario (MNR), encabezado por el filósofo Rafael García Bárcena, profesor de la Universidad de La Habana y miembro de la Academia Cubana de Filosofía, intentó tomar el cuartel Columbia con un pequeño grupo de seguidores, muchos de ellos vecinos del pueblo de Bauta, en las afueras de La Habana. La idea era entrar por una de las postas de la ciudad militar, tomar las armas del cuartel y arengar a la oficialidad para que se levantara contra el gobierno. Los servicios de inteligencia del régimen habían infiltrado el MNR y, antes de la hora del asalto, ya habían arrestado a García Bárcena y a algunos de sus seguidores como la secretaria Eva Jiménez Ruiz y el hijo del rector de la Universidad de La Habana, Rafael Inclán Argudín.

Varios miembros del MNR, como Faustino Pérez, Allan Rossell, Thelvia Marín y los hermanos Enrique y Armando Hart Dávalos —quien sería el abogado defensor de García Bárcena—, se movilizaron en contra del arresto del profesor y los conspiradores. García Bárcena y los principales complotados fueron condenados a tres años de cárcel en el Presidio Modelo de la Isla de Pinos. Muchos de aquellos jóvenes estudiantes pasarían luego a las filas del Movimiento 26 de Julio, que se organizó tras el asalto a los cuarteles Guillermón Moncada, de Santiago de Cuba, y Carlos Manuel de Céspedes, de Bayamo. Como en casi todos los episodios similares, el gobierno de Batista aprovechó la emergencia para arrestar a líderes opositores, que no estaban involucrados en la conspiración, como los "ortodoxos" Ochoa y Pardo Llada, y para implicar a políticos "auténticos" como el ex presidente Prío y el ex ministro Manuel Antonio de Varona. A pesar de su fracaso, la acción del MNR despertó la solidaridad y la simpatía de buena parte del estudiantado universitario. El presidente de la Federación de Estudiantes Universitarios (FEU), Álvaro Barba, protestó contra los arrestos y el rector, Clemente Inclán, y el decano de la Facultad de Derecho y presidente del Colegio de Abogados, José Miró Cardona, pidieron al ministro de Justicia, Gastón Godoy, que se respetara el *habeas corpus* y el derecho al debido proceso del filósofo García Bárcena y sus compañeros. El asalto al cuartel Columbia, el domingo 5 de abril de 1953, fue antecedente inmediato de otras acciones similares, que tendrían lugar entre 1953 y 1958, y que suscitaron respuestas por parte del régimen en las que se mezclaban la represión y el derecho. Se trataba de acciones violentas que, al estar encabezadas por jóvenes intelectuales o, específicamente, abogados, revestían una racionalidad jurídica que se ponía a prueba en el reclamo del derecho a la rebelión contra una tiranía, y en la defensa de la legitimidad de la acción armada en los propios tribunales del régimen.

El asalto a los cuarteles Moncada y Céspedes, en Santiago y Bayamo, organizado por el joven abogado Fidel Castro —seguidor de Eduardo Chibás y candidato a la Cámara de Representantes por el Partido Ortodoxo en las frustradas elecciones de junio de 1952—, respondió a un *modus operandi* parecido. Castro reclutó a sus hombres entre el estudiantado pero, también, entre vecinos de un pueblo de las afueras de La Habana, Artemisa. La fuente de su base social originaria fue la rama juvenil del Partido Ortodoxo, especialmente en La Habana, Artemisa,

Calabazar, Guanajay, Nueva Paz y otras localidades de las afueras de la capital. Los líderes del "movimiento" (Fidel Castro, Abel Santamaría, Jesús Montané, Boris Luis Santa Coloma, Pedro Miret, Haydée Santamaría, Melba Hernández…), que inicialmente careció de nombre, aunque se identificaba como "Generación del Centenario", eran todos militantes del Partido Ortodoxo, de clase media alta, hijos de inmigrantes españoles, estudiantes o recién graduados de la Universidad. Estos jóvenes veinteañeros lograron reclutar a cerca de 150 hombres, en su mayoría trabajadores y empleados urbanos, cercanos también a las bases ortodoxas.

Castro planeó asaltar el cuartel Moncada en Santiago de Cuba, en la madrugada del 26 de julio, aprovechando que la noche anterior habría carnavales en la ciudad y la guarnición estaría desprevenida. Simultáneamente, otro grupo más pequeño, bajo las órdenes de los también militantes ortodoxos Raúl y Mario Martínez Ararás, asaltaría el cuartel Céspedes de Bayamo. Castro ordenó, además, a su segundo al mando, Abel Santamaría, que tomara el hospital civil Saturnino Lora, para controlar la atención de los heridos durante el asalto, y a su hermano, Raúl Castro, que se apoderara del Palacio de Justicia, desde cuyas azoteas podía dominarse buena parte del cuartel. Castro mismo se encargaría de avanzar con la mayoría de los hombres al interior del Moncada, con el objetivo de neutralizar la guarnición y hacerse del arsenal de armas y municiones de ese importante bastión militar.

Mal armados con escopetas de caza y viejos rifles Winchester, los asaltantes no lograron llegar todos juntos y coordinados al cuartel, porque varios de los coches que los trasladaban se extraviaron o se accidentaron por el camino. Un pequeño grupo de combatientes al mando del santiaguero Renato Guitart, quien había conseguido los planos del cuartel, vestidos con uniformes del ejército de Batista, lograron entrar por una de las postas, e iniciar un cruce de fuego con los soldados, que puso en alerta a cerca de los 1 000 hombres acuartelados. Luego de causar unas 20 bajas a la guarnición, ese pequeño grupo de asaltantes fue repelido por el ejército. Fidel Castro, que nunca llegó al interior del cuartel por haberse tropezado con una patrulla del ejército, dio la orden de retirada y, con algunos seguidores, intentó refugiarse en el monte. En el hospital Saturnino Lora, los combatientes quedaron aislados y fueron masacrados o arrestados, en su mayoría. El asalto al cuartel de Bayamo también fracasó, aunque los detalles de la operación son menos conocidos por la centralidad que tiene el Moncada en la historia oficial.

Horas después del ataque, los jefes políticos y militares de Santiago de Cuba, el gobernador Pérez Almaguer, el coronel Río Chaviano, el comandante Pérez Chaumont, el capitán Lavastida, el temible sargento Eulalio González, lanzaron un operativo de detención, tortura y ejecución de más de la mitad de los asaltantes, que rápidamente trascendió a la prensa liberal de la isla. La reacción del régimen ante el asalto al cuartel Moncada fue brutal y activó el mecanismo del estado de emergencia, que Batista había establecido un año antes con el golpe del 10 de marzo y sus Estatutos Constitucionales. El Servicio de Inteligencia Militar (SIM) inició la cacería de todos los implicados en la operación, y también varios líderes comunistas, como Blas Roca, Carlos Rafael Rodríguez y Lázaro Peña, quienes casualmente se encontraban por aquellos días en Santiago de Cuba, fueron detenidos y rápidamente puestos en libertad.

Batista suspendió sus vacaciones en Varadero y, de vuelta en La Habana, pronunció un discurso en el polígono del cuartel Columbia en el que acusó a los asaltantes del Moncada de "mercenarios" y agentes del derrocado mandatario Prío Socarrás, que buscaban asesinarlo. Las declaraciones del dictador alentaron la masacre de decenas de integrantes del movimiento revolucionario —en su juicio, Castro hablará de "setenta asesinatos"—, ya que fueron pronunciadas en el momento en que las fuerzas del régimen llevaban adelante los arrestos y torturas de los combatientes en Santiago de Cuba. Luego, en libros publicados durante su exilio, como *Respuesta* (1960) y *Piedras y leyes* (1961), Batista corregirá su acusación y reconocerá que el vínculo de los moncadistas era con el Partido Ortodoxo, aunque con una inconcebible rama "comunista" del mismo.

Luego de la gestión del arzobispo de Santiago, Enrique Pérez Serantes, Castro fue recluido en una celda solitaria de la Prisión Provincial de Oriente, el 1 de agosto de 1953. Allí permaneció hasta fines de septiembre, cuando comenzaron las vistas orales del juicio, en el que fueron condenados 29 de los moncadistas a principios de octubre. Castro fue procesado en solitario el 16 de ese mes, en un juicio en el que asumió su propia defensa como abogado. El alegato que allí presentó, reconstruido luego como documento programático del, a partir de entonces, llamado Movimiento 26 de Julio, fue, entre otras cosas, un relato vívido de la represión desatada en Santiago de Cuba en los días posteriores al asalto, que costó la vida de más de 70 jóvenes.

Aunque la acción del Moncada no tuvo mayor relevancia desde el punto de vista militar —en el breve combate del 26 de julio murieron unos 16 asaltantes y 33 soldados—, las ejecuciones posteriores, en algunos casos de civiles, como el médico Mario Muñoz, desplazaron la atención de la opinión pública. Batista viajó a Santiago de Cuba en agosto, con el fin de capitalizar el duelo por la muerte de los soldados, pero se encontró con un ambiente de rechazo a la actuación de las autoridades militares y el SIM. El arzobispo Pérez Serantes llegó a pronunciar la pastoral "Paz para los muertos", y el rector de la Universidad de Santiago, Felipe Salcines, y otras personalidades de la ciudad pidieron garantías para la vida de los arrestados y demandaron procesos judiciales justos.

El presidente del Tribunal de Urgencia de Santiago, una sala de audiencia ambientada, en vacaciones, para que se procesara a los moncadistas, resultó ser el abogado, juez y magistrado Manuel Urrutia Lleó, quien había simpatizado con los fracasados intentos de impugnar la constitucionalidad del golpe de Estado del 10 de marzo ante el Tribunal de Garantías Constitucionales y Sociales. En un momento de su discurso de autodefensa, Castro lanzó un guiño al presidente cuando se refería a las "honrosas excepciones", dentro de la clase jurídica cubana, que habían reprobado la dictadura. Urrutia, quien luego sería presidente del primer gobierno revolucionario y, como tantos otros revolucionarios liberales, acabaría enemistándose con Fidel Castro y exiliándose en Estados Unidos, reconocería en un libro escrito fuera de la isla, *Democracia falsa y falso socialismo* (1975), que las denuncias de Castro sobre la represión y los abusos del régimen batistiano contra los moncadistas estaban fundadas.

Una semana después del asalto, Fidel Castro, que se había escondido cerca de la montaña conocida como la Gran Piedra, se entregó a las autoridades con la ayuda del arzobispo de Santiago de Cuba, Enrique Pérez Serantes, quien exigió al gobierno de Batista que el joven revolucionario fuera debidamente juzgado, y del teniente Pedro Sarría Tartabull, que arrestó al líder moncadista, en compañía de Oscar Alcalde y José Suárez, y protegió su vida. Desde el momento de su captura, Fidel Castro se concentró en documentar las ejecuciones extrajudiciales de sus compañeros de armas y los abusos y torturas en que incurrió la maquinaria represiva del gobierno de Batista, como un conjunto de violaciones específicas del estado de derecho consagrado por la Constitución de 1940 y su codificación del Poder Judicial de la isla.

El alegato de Fidel Castro en el juicio, luego reconstruido y enriquecido en la cárcel, bajo el título de *La historia me absolverá* (1953), con ayuda de algunos intelectuales y políticos de la Ortodoxia como el filósofo y ensayista Jorge Mañach, es, como decíamos, un relato y una denuncia de la represión del ejército de Batista contra los asaltantes del Moncada, pero también una elocuente diatriba contra el régimen del 10 de marzo de 1952 y contra el propio Batista, además de un programa de reformas sociales y económicas. El estilo litigante de Castro provenía de su formación jurídica y, a la vez, de la retórica de Eduardo Chi-

bás, cuyas arengas públicas e interpelaciones radiales de los gobiernos auténticos, habían sido imitadas por Castro, antes, en
los artículos que publicó en *Alerta*, *El Acusador*, *Ataja* y otros
pequeños periódicos opositores, en La Habana, de escaso tiraje
y circulación.

Castro aprovechó la literatura sobre la epopeya de la Independencia del siglo XIX, como las *Crónicas de la guerra* de José
Miró Argenter, para equiparar los crímenes de Batista con las
masacres del general español Valeriano Weyler. La crueldad de-
mostrada por el ejército no era más que una extensión de la
violencia de Estado desplegada desde el 10 de marzo. Con la
represión de los moncadistas, el régimen no hacía otra cosa que
confirmar su ilegitimidad y su atropello del orden constitucional
de 1940. La mayor parte del contenido de *La historia me absolverá* (1953) estaba dedicada a justificar el derecho de rebelión bajo
un orden *de facto*, que había cancelado el estado de derecho.
Castro se apoyaba en Ramón Infiesta, un profesor de derecho
constitucional de la Universidad de la Habana, para sostener la
diferencia entre una "constitución política" y una "constitución
jurídica". A su juicio, con el golpe de Estado de Batista y los Estatutos Constitucionales, se había impuesto una nueva constitución jurídica, pero la vieja constitución política, esto es, la Carta
Magna de 1940, que hacía de Cuba una "sociedad democrática",
seguía vigente.

Una vez que el Tribunal de Garantías Constitucionales y Sociales desestimó el recurso de inconstitucionalidad contra el golpe del 10 de marzo, que varios abogados y políticos opositores
habían presentado, según Castro ya no se podía confiar en el
Poder Judicial de la República. Bajo un régimen ilegítimo y sin
recursos legales ni garantías constitucionales para ejercer la oposición, el derecho de rebelión, reconocido por la propia Constitución violada, estaba justificado. Para mayor contundencia,
Castro apeló a la larga tradición de pensamiento jurídico y político de Occidente, cristiana y liberal, que había consagrado el

derecho a la rebelión popular contra el despotismo y la tiranía:
Salisbury, Santo Tomás, Lutero, Juan de Mariana, Hotman, Knox,
Poynet, Buchanan, Altusio, Milton y, por supuesto, Locke, Rousseau y Paine. Esa tradición cristiana y liberal, de defensa del gobierno representativo y la soberanía popular, era la misma de las
luchas independentistas del siglo XIX, encabezadas por Carlos
Manuel de Céspedes, Ignacio Agramonte, Antonio Maceo, Máximo Gómez y José Martí, y de los revolucionarios de los treinta y
los constituyentes de los cuarenta. Esta última República, políticamente vigente, debía ser restaurada jurídicamente:

> ... Mi lógica es la lógica sencilla del pueblo... Os voy a referir
> una historia. Había una vez una República. Tenía su Constitu-
> ción, sus leyes, sus libertades; Presidente, Congreso, Tribuna-
> les; todo el mundo podía reunirse, asociarse, hablar y escribir
> con entera libertad. El gobierno no satisfacía al pueblo, pero el
> pueblo podía cambiarlo y ya sólo faltaban unos días para ha-
> cerlo. Existía una opinión pública respetada y acatada y todos
> los problemas de interés colectivo eran discutidos libremente.
> Había partidos políticos, horas doctrinales de radio, programas
> polémicos de televisión, actos públicos y en el pueblo palpita-
> ba el entusiasmo. Este pueblo había sufrido mucho y si no era
> feliz, deseaba serlo y tenía derecho a ello. Lo habían engañado
> muchas veces y miraba el pasado con verdadero terror. Creía
> ciegamente que éste no podría volver; estaba orgulloso de su
> amor a la libertad y vivía engreído de que ella sería respetada
> como cosa sagrada; sentía una noble confianza en la seguridad
> de que nadie se atrevería a cometer el crimen de atentar contra
> sus instituciones democráticas. Deseaba un cambio, una mejo-
> ra, un avance, y lo veía cerca. Toda su esperanza estaba en el
> futuro ¡Pobre pueblo! Una mañana la ciudadanía se despertó
> estremecida... No; no era una pesadilla; se trataba de la triste
> y terrible realidad: un hombre llamado Fulgencio Batista aca-
> baba de cometer el horrible crimen que nadie esperaba...

Con este relato de la historia de Cuba, sumamente favorable al orden constitucional de 1940, Castro insertaba un programa político que, si bien no revolucionaba, por lo menos contenía un proyecto de reforma de aquella misma República. En un momento llegaba a admitir que la "revolución era fuente de derecho" y en otro proponía una definición de "pueblo si de lucha se trata", en la que intentaba englobar a la clase media y a los sectores más desfavorecidos del país: desempleados, campesinos pobres, obreros y braceros de bajos salarios, pequeños agricultores no propietarios, maestros y profesores, pequeños comerciantes y empresarios y jóvenes universitarios y profesionales. Esa definición supraclasista de "pueblo" permitía a Castro establecer interlocución con la gran mayoría del país.

Las cinco leyes revolucionarias propuestas en *La historia me absolverá* (1953) estaban formuladas de tal manera que pudieran atraer el respaldo de esa gran mayoría: restablecimiento de la Constitución de 1940, concesión de títulos de propiedad a colonos, subcolonos, arrendatarios, aparceros y precaristas que ocuparan cinco o menos caballerías de tierra, derecho de los obreros a participar en el 30% de las utilidades de las empresas, derecho de los colonos azucareros al 50% de los ingresos y confiscación de bienes malversados por los gobiernos republicanos corruptos. El quinto punto era de vital importancia, ya que dejaba en claro que la Revolución no era únicamente contra la dictadura de Batista, sino que también buscaba reparar el mal de la corrupción, que Fidel Castro y otros líderes ortodoxos habían denunciado en los últimos años del periodo presidencial de Prío Socarrás.

Aunque en el documento se citaba a Martí y a Chibás, *La historia me absolverá* (1953) no hacía mayor énfasis en la afiliación ortodoxa de los revolucionarios. Hay un marcado contraste entre ese texto programático del naciente Movimiento 26 de Julio y el *Manifiesto del Moncada* (1953), redactado pocos días antes del asalto, en La Habana, por el poeta Raúl Gómez García,

dirigido "a la nación" y firmado por "La Revolución cubana".
Este documento, que sería difundido por los medios de comunicación en caso de que la insurrección triunfara, sí presentaba una genealogía ideológica y política precisa, que identificaba a los jóvenes moncadistas con la Ortodoxia radical. En este programa, los futuros moncadistas hacían suyas las ideas revolucionarias de Céspedes, Agramonte, Maceo y Martí, pero también del comunista Julio Antonio Mella y el socialista Antonio Guiteras, de Rafael Trejo y Eduardo Chibás.

En el punto F eran más explícitos aún y suscribían proyectos políticos de los treinta y cuarenta, como la Joven Cuba de Guiteras, el ABC radical y, naturalmente, el Partido del Pueblo Cubano (Ortodoxo). A pesar de ser muy jóvenes y no haber tomado parte en la Revolución de los veinte y treinta contra la dictadura de Gerardo Machado, los moncadistas, como el propio Batista, se imaginaban a sí mismos en continuidad con aquellos movimientos antiautoritarios. Batista, como afirmó Fidel Castro en el juicio en Santiago de Cuba, entre otros tantos crímenes, había cometido el de la traición a los ideales de aquella Revolución. Castro y sus hombres se proyectaban públicamente como una nueva generación de revolucionarios verdaderos que confrontaba a viejos ex revolucionarios, ahora acomodados y corruptos.

El relato histórico del *Manifiesto del Moncada* era más o menos el mismo que el de *La historia me absolverá* —en el primero, por ejemplo, se hablaba de dos "dictaduras", la de "1929-33" y la de "1934-44", calificando como "dictatorial" el primer gobierno constitucional de Batista—, pero en el segundo de esos documentos la identidad ortodoxa del grupo estaba menos perfilada. Era evidente que después de la acción armada del 26 de julio, a pesar de su fracaso o precisamente por eso, Fidel Castro estaba decidido a crear un movimiento propio, desligado del Partido Ortodoxo. Sin embargo, en los meses que siguieron al juicio del Moncada, Castro mantuvo una estrecha comunicación con los líderes de la Ortodoxia, quienes lo ayudaron a impulsar el movimiento cívico, partidario de la amnistía de los moncadistas.

En octubre de 1953, Castro fue, finalmente, condenado a 15 años de cárcel en el Presidio Modelo de Isla de Pinos. Urrutia emitió un voto particular en contra del veredicto, amparado en que la Constitución de 1940, violada por el golpe de Estado de Batista, justificaba el derecho a la resistencia democrática contra un régimen ilegítimo. Desde su llegada a Isla de Pinos, el líder de lo que ya se llamaba Movimiento 26 de Julio, inició una intensa correspondencia con líderes ortodoxos, como Luis Conte Agüero o el intelectual Jorge Mañach, y con colaboradores cercanos y familiares, como Melba Hernández, su hermana Lidia Castro o su esposa, Mirta Díaz Balart, destinada a ganar apoyos públicos a la causa de los moncadistas.

El epistolario con Conte Agüero, figura importante de la Ortodoxia en Oriente y una voz muy escuchada en la radio y la prensa cubanas, es, en este sentido, bastante revelador. En diciembre de 1953, el joven abogado reclama a su amigo el silencio de la opinión pública ante la represión de los atacantes del Moncada, en Santiago de Cuba, en los últimos días de julio. Compara dicho silencio con la resonancia del fusilamiento de ocho estudiantes de medicina, por la Capitanía General de la isla, en 1871, que se celebra cada 27 de noviembre en Cuba, y con el asesinato en 1953 del militante del Frente Nacional Democrático o Asociación Armada Auténtica (Triple A), Mario Fortuny, que había reunido un importante arsenal cerca del Country Club de La Habana, para apoyar las acciones violentas proyectadas por Aureliano Sánchez Arango, líder de esa organización, quien había introducido el armamento por la playa de Caibarién, al norte de Las Villas.

A Castro le parecen "fingidas" y "pletóricas de epítetos altisonantes" las expresiones de indignación por la muerte de los estudiantes de medicina o por la ejecución extrajudicial de Fortuny, si se comparan las mismas con el silencio de la opinión pública "frente a los crímenes, mil veces más horrendos, de Santiago de Cuba". A pesar de que Castro responsabiliza "a la oposición" por ese silencio, no deja nunca de persuadir a Conte Agüero para que transmita al líder del Partido Ortodoxo, Roberto Agramonte, que él y sus hombres siguen siendo leales a las ideas de Eduardo Chibás y le recuerde que los muertos del Moncada eran "militantes ortodoxos". Hay una tensión permanente en la correspondencia de Castro, desde el presidio, entre la crítica a la pasividad de la Ortodoxia y el reclamo de pertenencia de su movimiento a ese partido.

Reiteradamente, Castro pide a sus corresponsales que recaben la solidaridad con los presos del Moncada entre figuras públicas cercanas a la Ortodoxia, como el director de la revista *Bohemia*, Miguel Ángel Quevedo, editorialistas de esta influyente publicación, como el periodista Enrique de la Osa y o el ensayista Jorge Mañach. En junio de 1954, luego de un breve arresto de Conte Agüero en Isla de Pinos, en represalia por su apoyo a Fidel Castro y sus hombres, en el Teatro de la Comedia de La Habana se organizó un homenaje al dirigente ortodoxo, al que asistió la plana mayor de ese partido: Roberto Agramonte, Pelayo Cuervo, Conchita Fernández, María Teresa Freyre de Andrade, Manuel Bisbé, José Manuel Gutiérrez, Ricardo Miranda, además de periodistas y líderes de opinión como Carlos Lechuga, Ernesto Montaner o Enrique de la Osa. En ese homenaje, la esposa de Castro, Mirta Díaz Balart, leyó una carta que el joven revolucionario envió a Conte Agüero, desde Isla de Pinos, en la que agradecía públicamente la solidaridad del Partido Ortodoxo con los jóvenes moncadistas.

Mirta Díaz Balart era un contacto importante de Castro durante su presidio; ella hacía llegar a personalidades públicas de la isla, como Jorge Mañach, mensajes y textos escritos por el jefe moncadista desde la cárcel, como el borrador del texto *La historia me absolverá* (1954), basado en su autodefensa durante el juicio en Santiago de Cuba, que, al parecer, Mañach ayudó a

editar. Un hermano de Mirta, Rafael Díaz Balart, era secretario
del Ministerio de Gobernación, a cargo entonces de Ramón Hermida. En julio de 1954, Castro escucha por la cadena radial
CMQ la noticia de que su esposa había sido despedida como
empleada del Ministerio de Gobernación, donde quien traba-
jaba era su hermano. El líder revolucionario asume la noticia
como una afrenta dirigida a mellar su credibilidad como opositor, y atribuye la responsabilidad a su cuñado, activista de la
juventud batistiana.

El incidente, además de decidir la ruptura del primer matri-
monio de Fidel Castro, tuvo consecuencias políticas, ya que llamó la atención del régimen sobre el jefe moncadista. Al cumplir-
se el primer aniversario del 26 de Julio, Batista envió al Presidio
Modelo de Isla de Pinos al ministro de Gobernación, Ramón
Hermida, y a otros dos funcionarios del régimen, Gastón Godoy
y Loret de Mola y Marino López Blanco, para que se entrevista-
ran con Castro. El encuentro tuvo lugar en la celda de Castro, a
fines de julio, y por el relato que el joven revolucionario envió
a Conte Agüero, se trató de una conversación respetuosa en la
que ambos reiteraron que no entendían el conflicto político
como un pleito personal. Según esa versión, Castro habría recla-
mado a Hermida la "agresión a su integridad moral", que representaba la noticia de que su esposa era empleada del Ministerio
de Gobernación, a lo que el ministro respondió que "el culpable"
era su cuñado, Rafael Díaz Balart, que actuaba como "un chiqui-
llo irresponsable".

El proceso electoral de la segunda mitad de 1954 y el ascenso de la campaña pro amnistía colocaron a Fidel Castro y a los
presos del Moncada en una posición de diálogo privilegiado con
corrientes partidarias de la oposición pacífica o, a lo sumo, de la
resistencia cívica. Para Castro era una prioridad conseguir la amnistía, por lo que dio la mayor importancia a la interlocución
con sectores moderados de la opinión pública de la isla y, especialmente, del Partido Ortodoxo. A Jorge Mañach, por ejemplo,

le escribe muy persuasivamente para sugerirle que converse con Goar Mestre, el magnate de los medios cubanos, a quien llama "hombre tan ponderado", para que invite a su programa de televisión en la CMQ, "Ante la prensa", a jóvenes ortodoxos, defensores de la causa moncadista, como Conte Agüero.

A través de la radio, los presos políticos de la Isla de Pinos siguieron la campaña electoral de una franja del Partido Auténtico, encabezada por el ex presidente Ramón Grau San Martín, en Oriente. En uno de los actos, parte de la multitud coreó el nombre de "Fidel", lo que motivó a éste a comentar a una de sus hermanas: "¡Qué lección tan formidable para la jerarquía allí reunida! ¡Qué leales son los hombres de nuestra provincia!". Un medio hermano de Castro, Pedro Emilio Castro Argota, habló en ese acto y a Fidel le parece que "no lo hizo mal" y que "tiene algunas posibilidades de éxito". En buena parte de aquella correspondencia, el líder no descarta la utilidad ni la eficacia de una oposición cívica en Cuba.

Sin embargo, a sus seguidores más cercanos en el naciente Movimiento 26 de Julio, Castro hablaba con mayor franqueza, transmitiendo una visión negativa de los dos grandes partidos tradicionales, el Auténtico y el Ortodoxo. En una famosa carta a Melba Hernández, aconseja a los miembros de su movimiento que permanecen libres, en La Habana, actuar con astucia: "mucha mano izquierda y sonrisa con todo el mundo. Seguir la misma táctica que se siguió en el juicio: defender nuestros puntos de vista sin levantar ronchas. Habrá después tiempo para aplastar a todas las cucarachas juntas". El objetivo de la amnistía sólo podría lograrse por medio del apoyo de la oposición pacífica y, especialmente, de la plural esfera pública de la isla.

Entre 1953 y 1954, mientras se articulaba aquella presión cívica a favor de la amnistía de los moncadistas, un sector minoritario de la clase política y militar cubana apostaba al derrocamiento por la fuerza del gobierno de Batista. El Frente Nacional Democrático o Triple A, fundado por el ex ministro de Educación del gobierno de Prío, Aureliano Sánchez Arango, fue una de las más activas organizaciones durante ese año. Sánchez Arango coordinó con Cándido de la Torre, Menelao Mora, Francisco Cayrol, Mario Fortuny, César Lancís, Tomás Regalado y otros, la introducción de armas a la isla desde el extranjero, financiadas por el ex presidente Prío desde su exilio en Estados Unidos.

Sánchez Arango, como otros líderes auténticos del gobierno de Prío, había recibido asilo político por el gobierno de México luego del golpe de Estado del 10 de marzo de 1952. Al año siguiente, dejando una importante red conspirativa en México y Estados Unidos, donde residían auténticos radicales o miembros de la Triple A, entró clandestinamente a la isla. En enero de 1953, un intento de desembarco de hombres y armas, organizado por Sánchez Arango, se frustró con el naufragio de la embarcación *El Bonito* en el Golfo de México, cerca de Cabo Catoche, Yucatán. Otro intento de insurrección armada fue el ya mencionado de noviembre de 1953, en el que perdió la vida Mario Fortuny, también organizado por Sánchez Arango y la Triple A.

En los manifiestos de la Triple A, que Aureliano Sánchez Arango reunió luego, en el exilio, en el libro *Trincheras de ideas y de piedras* (1972), los motivos ideológicos y las inspiraciones históricas del líder auténtico eran muy parecidos a los de casi todos los revolucionarios cubanos de los años cincuenta, incluyendo a Fidel Castro y los moncadistas. Sánchez Arango, lo mismo que su amigo Raúl Roa en el conocido artículo "Cesarismo y revolución" (1952), escrito para la "Universidad del Aire" unos días después del golpe de Estado del 10 de marzo, veía a Batista como un traidor a la Revolución de 1933, que había continuado la tradición despótica de Gerardo Machado y que debía ser removido por la fuerza, siguiendo las ideas y el ejemplo de José Martí, Julio Antonio Mella, Pablo de la Torriente Brau y Antonio Guiteras.

A pesar de que todavía a fines de 1954 había pequeños grupos del autenticismo radical que intentaban boicotear las elecciones presidenciales y legislativas, el propio proceso electoral, con todo y el derroche de control militar y político con que se llevaron a cabo, y, sobre todo, la amnistía decretada luego de la toma de posesión de Batista, en febrero de 1955, inclinaron la balanza a favor de la oposición pacífica. La amnistía, que había sido una demanda de la Sociedad de Amigos de la República (SAR), la institución fundada por Jorge Mañach que dirigía desde 1952 el veterano oficial mambí Cosme de la Torriente, del Colegio de Abogados y otras instituciones de la sociedad civil, recibió finalmente apoyo de la minoritaria oposición parlamentaria en el Congreso, donde el legislador auténtico, ex ministro del Trabajo de Prío, Arturo Hernández Tellaheche la propuso.

LA OPOSICIÓN PACÍFICA

Desde los días posteriores al golpe del 10 de marzo de 1952, junto a una oposición violenta y, a veces, dentro de los mismos círculos sociales y políticos que la impulsaban, surgió una oposición pacífica que recurrió a instituciones, discursos y prácticas que remitían a la defensa de la legitimidad de la Constitución de 1940. La primera vez que la noción de "diálogo cívico" aparece en la esfera pública de aquellos años es entre los meses de marzo y abril de 1954, cuando algunos líderes auténticos y ortodoxos, apartados de la línea de más confrontación —aunque no necesariamente violenta— de sus respectivos partidos, intentan llegar a un acuerdo con el gobierno de Batista para crear garantías de unas elecciones democráticas a fines de año, que permitieran recuperar la legitimidad perdida.

Si entre los auténticos esa actitud es asociable al ex presidente Grau San Martín, entre los ortodoxos será Carlos Márquez Sterling, ex presidente de la Asamblea Constituyente de 1940, quien la personifique. Márquez Sterling, como Grau, pensaba que era posible encontrar un camino de vuelta a la constitucionalidad, siempre y cuando el gobierno aceptara una serie de premisas como el restablecimiento del Código Electoral de 1943, la libertad de presos políticos, la repatriación de exiliados, la derogación de la Ley de Orden Público, que regulaba la suspensión o restricción de garantías constitucionales, y el voto directo y libre, de acuerdo con la legislación electoral derogada por los Estatutos Constitucionales de 1952. La propuesta de Márquez Sterling contemplaba el escenario de que, en caso de que el gobierno de

Batista aceptara, se convocaría a elecciones intermedias en un plazo de 10 meses.

En octubre de 1953, mientras Fidel Castro y sus hombres eran juzgados en Santiago de Cuba, Batista convocó a elecciones presidenciales para noviembre de 1954. Una rama del viejo Partido Auténtico, encabezada por el ex presidente Grau San Martín, anunció que participaría en las elecciones. Los comunistas, reunidos en el Partido Socialista Popular, que habían rechazado la acción del Moncada por "putschista" o golpista, también se inclinaron a una intervención en el proceso electoral, aliándose con Grau. El sector del autenticismo favorable a Prío se mantenía fiel a una deposición violenta del gobierno de Batista, mientras que el Partido Ortodoxo, aunque reacio a intervenir en las elecciones, gravitaba cada vez más hacia una presión cívica sobre el régimen que permitiera articular un movimiento opositor nacional. Desde mayo de 1953, cuando algunos de sus líderes, como Emilio Ochoa, firmaron un pacto en Montreal con Prío, había entre los ortodoxos una corriente hegemónica, partidaria de la oposición pacífica.

La tesis de la resistencia cívica, dentro de la Ortodoxia, fue alentada por una primera amnistía de presos políticos y un restablecimiento de garantías constitucionales, que favoreció a buena parte de la oposición, menos a los moncadistas, que continuaron recluidos en Isla de Pinos. En pocos meses, ni la alianza de los comunistas con los auténticos ni la campaña electoral de estos últimos, a pesar de la popularidad que llegó a suscitar en Oriente, logró sumar a más de 300 000 electores, de un total de 2 800 000. La candidatura de Batista, sin embargo, rebasaba fácilmente el millón y medio de seguidores en agosto de 1954, cuando el dictador cedió la presidencia provisional a Andrés Domingo y Morales del Castillo, para concentrarse en la campaña de su fórmula, con Rafael Guas Inclán como vicepresidente, impulsada por una nueva coalición llamada Partido Progresista Nacional.

El retraimiento de los ortodoxos y el apoyo de los comunistas restaron fuerza a la candidatura de Grau, además de que el régimen reforzó el control del movimiento obrero por medio del liderazgo del jefe sindical Eusebio Mujal Barniol. Grau pidió garantías de equidad y hasta un aplazamiento de las elecciones, que fueron negadas por el gobierno. En octubre de 1954, a un mes de la contienda, el candidato auténtico se retiró del proceso electoral, dejando a Batista como única opción. No obstante, un pequeño sector del Partido de la Cubanidad, la asociación que encabezaba Grau, participó en las elecciones legislativas de noviembre, obteniendo 18 escaños en la Cámara y otros 16 en el Senado. Con esa minoría opositora, Batista garantizaba una hegemonía parlamentaria que, sin embargo, se había construido sobre un enorme abstencionismo —sólo la mitad del electorado votó en las elecciones de 1954— y sobre el aislamiento deliberado del principal partido de oposición, la Ortodoxia.

Batista, naturalmente, utilizó los resultados electorales para presentar su nuevo mandato presidencial como recuperación de la legitimidad perdida en 1952. Tras reunirse con el vicepresidente de Estados Unidos, Richard Nixon, en La Habana, y tomar posesión como titular del Poder Ejecutivo, el 24 de febrero de 1955, decretó el restablecimiento de la Constitución de 1940 y, en mayo, una amnistía de presos políticos, que favoreció a Fidel Castro y a los asaltantes del cuartel Moncada. Pero la amnistía, además, facilitó el regreso de políticos exiliados como el ex presidente Carlos Prío Socarrás o el intelectual de izquierda Raúl Roa, que vivía en México desde el golpe de Estado del 10 de marzo. Para el verano de 1955 se había creado en la isla un ambiente favorable a la negociación de una reforma política que, sobre la base de la recuperación de la constitucionalidad, permitiera adelantar nuevas elecciones, con garantías específicas, que permitieran un regreso de la oposición al gobierno representativo y a la competencia electoral.

El clima de entendimiento, que fue impulsado en el Congreso por la minoría opositora auténtica, también fue aprovechado por algunas instituciones de la sociedad civil cubana, como el Bloque Cubano de Prensa y la Sociedad de Amigos de la República (SAR), creada por Jorge Mañach y otros intelectuales y políticos cercanos a la Ortodoxia en 1948. El presidente de esta institución era entonces el veterano de la guerra de Independencia Cosme de la Torriente quien, con algunos miembros (Elena Mederos, José Miró Cardona, Rogelio Piña, José Russinyol, el historiador Ramiro Guerra…), emitió un manifiesto en junio de 1955, en el que celebraba la amnistía política y el restablecimiento de la Constitución del 40 y llamaba a la oposición a "unir todos sus núcleos y fuerzas para acordar las medidas a adoptar para celebrar elecciones generales en el plazo más breve posible para cubrir todas las magistraturas del Estado conforme a la Constitución restaurada, aunque fuese preciso reducir el término de mandato de los electos el primero de noviembre de 1954".

La propuesta fue recibida con entusiasmo por varios partidos, en primer lugar el Auténtico, en voz del ex primer ministro de Prío, Manuel Antonio de Varona, al que se sumó José Pardo Llada, del Movimiento de la Nación, un partido nuevo creado por Jorge Mañach. También los ex presidentes Carlos Prío Socarrás, desde el exilio, y Ramón Grau San Martín, respondieron favorablemente a la iniciativa. El Partido Ortodoxo, primera fuerza opositora del país, respondió de manera ambivalente a la convocatoria. Su líder, Raúl Chibás, hermano del fundador, declaró que los ortodoxos "ofrecerían su más decidido concurso" a la gestión de la SAR, sin que la misma implicara la disolución de la identidad partidista en un "frente" o una "coalición" opositores. Cuando la SAR pidió que se formaran comisiones por partido, para pactar las demandas que se harían al gobierno, una parte de la Ortodoxia (José Manuel Gutiérrez, Francisco Carone, Javier Lezcano…), que curiosamente había mostrado solidaridad o simpatía con los moncadistas, aceptó, pero otra, más autorizada (Raúl Chibás, Roberto Agramonte, Pelayo Cuervo…), actuó con cautela.

Tal vez fueron esas reservas de los ortodoxos las que impulsaron a los líderes de la SAR a afinar el lenguaje en un segundo manifiesto, dado a conocer a fines de julio de 1955, en los mismos días del segundo aniversario del asalto al cuartel Moncada. Allí la oposición pacífica "excluía toda posibilidad de restaurar por la violencia el orden democrático de la nación", pero exigía, a cambio, el cese de la represión y la flexibilización de las medidas de seguridad pública, condensadas en los decretos 648, 649 y 650 de enero de 1953, que otorgaban impunidad a las fuerzas del orden. Los opositores pacíficos no sólo suscribían reclamos anteriores, como el restablecimiento del Código Electoral de 1943, sino que pedían cuentas al régimen por abusos concretos como el cierre del periódico *La Calle*, donde escribía Fidel Castro, la violación de la autonomía universitaria y el asesinato del comandante de la Marina Jorge Agostini. Las garantías demandadas eran indispensables, concluían, para "facilitar que las fuerzas políticas puedan realizar la movilización cívica de sus partidarios y llevar a cabo la consiguiente labor de proselitismo".

La presión ascendente de la SAR, de los ex presidentes Grau y Prío y de los partidos Ortodoxo y Auténtico creció lo suficiente, en la opinión pública, como para que el gobierno se viera obligado a responder. El ministro de Gobernación de Batista, Santiago Rey Pernas, en el periódico *El Mundo* aseguraba que no era necesaria en Cuba "una transición constitucional", como la que pedía la oposición, ya que el Tribunal Supremo de Justicia, es decir, la autoridad máxima del Poder Judicial, había reconocido el carácter "constituyente" del Consejo de Ministros. Rey Pernas justificaba, además, la actitud represiva del gobierno en cada uno de los episodios señalados en el segundo manifiesto de la SAR. La oposición interpretó la respuesta gubernamental como una negativa al diálogo y la negociación, pero, inteligentemente, varios de sus líderes, como José Miró Cardona, Carlos Prío y el propio presidente de la SAR, Cosme de la Torriente, declararon que no la aceptaban como "respuesta definitiva".

En los últimos meses de 1955, aquella tensión entre la oposición y el gobierno, rigurosamente acompañada por la opinión pública de la isla, llegó al punto de contemplar la "desobediencia civil" como única alternativa a la mano. La SAR y la oposición dieron una muestra de su popularidad en un par de actos públicos, uno en el Club de Leones en septiembre y otro en el Muelle de Luz en noviembre de 1955, en los que los máximos líderes cívicos no vacilaron en juzgar al régimen como una dictadura o una tiranía, dada su inconstitucionalidad y su estricta aplicación del "estado de emergencia" a las leyes de orden público. Advertido de la creciente popularidad de la oposición, el gobierno decidió retomar la iniciativa por medio del Plan de Vento, así llamado por una serie de reuniones que tuvieron lugar en ese barrio de La Habana, entre fines de 1955 y 1956.

La última fase de este "diálogo cívico" transcurrió en marzo de 1956, cuando, tras una entrevista entre Cosme de la Torriente y Fulgencio Batista en el Palacio Presidencial, se reúnen comisiones del gobierno y la oposición con el fin de acordar un protocolo para la realización de elecciones parciales en 10 meses y lograr una representación más equitativa de los partidos políticos en el Congreso. Del lado del gobierno, Justo Luis del Pozo, Andrés Rivero Agüero, Rafael Díaz Balart, Gastón Godoy, Santiago Rey…, entre otros. Por la oposición, Manuel Antonio de Varona, Pelayo Cuervo, Antonio Lancís, José Pardo Llada, Manuel Bisbé, Francisco Carone… Luego de varias sesiones de duelo retórico, en las que predominaron las posiciones maximalistas —buena parte de la oposición exigía la renuncia de Batista y el gobierno sólo concedía elecciones parciales, en 10 meses, con carácter constituyente, para restablecer plenamente la Carta del 44—, el diálogo cívico llego a su fin, sin acuerdos. Un último intento de negociación, impulsado por el experimentado político Guillermo Alonso Pujol, quien se reunió, por separado, con Batista y Prío, también culminó en el fracaso.

A pesar de que todos aquellos intentos terminaron en la frustración, el clima favorable a la oposición pacífica predominó entre 1954 y los primeros meses de 1956. La Iglesia católica, en voz, sobre todo, del cardenal Manuel Arteaga Betancourt, apoyó resueltamente los intentos de la SAR y la oposición cívica de llegar a un pacto con el gobierno y medió en conflictos entre obreros y estudiantes con el régimen.

Los comunistas cubanos, afiliados al Partido Socialista Popular, que habían rechazado públicamente el asalto al cuartel Moncada en julio de 1953, reiteraron en los últimos meses de 1955 su apuesta por la lucha pacífica, desmarcándose de los "métodos terroristas y *putschistas*" del Movimiento 26 de Julio y el Directorio Revolucionario. Varios dirigentes comunistas, como el líder sindical Salvador García Agüero, intentaron participar, incluso, en el citado acto de la SAR en el Muelle de Luz y hasta ofrecieron una contribución económica a Cosme de la Torriente. Pero esos amagos de acercamiento se malograron, en buena medida, por el hecho de que los comunistas acompañaban su posicionamiento a favor de la oposición democrática con declaraciones sobre una "componenda" entre "partidos burgueses", a lo que la SAR, la Ortodoxia y el Autenticismo respondían con posicionamientos anticomunistas, que denunciaban los "intereses totalitarios" de los comunistas, que obraban "en detrimento de nuestra nacionalidad", obedeciendo consignas foráneas.

En marzo de 1956, el diálogo estaba virtualmente cancelado, y una serie de recriminaciones comenzaron a cruzarse entre sus principales artífices. Cosme de la Torriente acusó al gobierno de incumplir su palabra, y Batista, en una comparecencia televisiva, sostuvo que las exigencias de la SAR eran exageradas e impertinentes. Desde su exilio en México, Fidel Castro también desautorizó las gestiones del "diálogo cívico" y, por primera vez desde los sucesos del Moncada, deslindó su línea de acción del proyecto político de la Ortodoxia. Hasta su salida de Cuba rumbo a México, Castro había mantenido cierto grado de subordinación a ese partido, encabezado por Raúl Chibás, en buena medida por el peso que el propio partido había tenido en la campaña a favor de la amnistía de los moncadistas. Varios políticos e intelectuales, vinculados al Movimiento de la Nación y al diálogo cívico, como Jorge Mañach, José Pardo Llada, Luis Botifoll, Justo Carrillo y Rufo López Fresquet, habían desempeñado un papel fundamental en aquella campaña.

Si en mayo de 1955, luego de ser recibido por el Comité Nacional de la Ortodoxia, Castro declaraba a *Bohemia* la disposición de los moncadistas a colaborar con el partido y a contribuir a un gran movimiento cívico-político, ya en el verano de 1955, exiliado en México, arremetía, en el *Manifiesto No. 1 del 26 de Julio*, contra la "politiquería" y la solución electoral: "los que entonan sus cantos de beatas en favor de la paz, como si pudiera haber paz sin libertad, paz sin derecho, paz sin justicia, no han encontrado todavía en cambio la palabra adecuada para condenar los 100 crímenes que se han cometido desde el 10 de marzo". Ya fuera con la fórmula de "no constituimos una tendencia dentro del partido; somos el dispositivo revolucionario del chibasismo" o presentándose como un "movimiento revolucionario" independiente, Castro intentaba mantener las puertas de su organización abiertas a la juventud ortodoxa y a algunos de sus líderes, y, a la vez, afirmar la autonomía de su grupo.

No es extraño que, dado el objetivo de atraer bases juveniles de la oposición partidista y de la opinión pública de la isla, Castro dedicara buena parte de aquel *Manifiesto No. 1* a mencionar no sólo cada una de las muertes o ejecuciones de opositores (las de Rubén Batista, Oscar Medina Salomón, María Rodríguez, Mario Aróstegui, Mario Fortuny, Gonzalo Miranda Oliva, Jorge Agostini…), sino cada una de las violaciones de la libertad de prensa, cierres de espacios radiofónicos o impresos o abusos contra periodistas como Mario Kuchilán y Armando Hernández, Luis Conte Agüero y José Pardo Llada, Max Lesnick y Guido García Inclán. Castro llegaba, incluso, a protestar contra el cierre de la famosa "Universidad del Aire", transmitida por la CMQ e impulsada por importantes intelectuales republicanos, de claras credenciales liberales, como Jorge Mañach, Ramiro Guerra, Raúl Maestri, Luis A. Baralt o Mercedes García Tudurí. Varios meses después, en el *Manifiesto No. 2 del 26 de Julio*, firmado en la isla de Nassau en diciembre de 1955, Fidel Castro presentaba su organización integrada por las "emigraciones cubanas", en una evidente apropiación de la experiencia de José Martí con el Partido Revolucionario Cubano, a fines del siglo XIX. Castro comentaba que había visitado varias ciudades de Estados Unidos (Nueva York, Union City, Bridgeport, Tampa, Miami, Cayo Hueso), en las que los "clubes patrióticos" habían recolectado "centenares de pesos" para financiar la Revolución. Allí reiteraba su crítica al "diálogo cívico" y a cualquier solución electoral sin una previa renuncia de Batista, y agregaba que la negativa del dictador a negociar con los 100 000 ciudadanos reunidos en el Muelle de Luz, "demostraba que al país no le quedaba otra salida que la revolución".

Entre la primavera y el verano de 1956, ese momento propicio para la oposición cívica comenzó a ser nuevamente desplazado por la opción revolucionaria. El Directorio Revolucionario, brazo armado de la Federación Estudiantil Universitaria presidida por el estudiante de arquitectura José Antonio Echeverría, el Movimiento 26 de Julio, encabezado por Fidel Castro, pero también la Organización Auténtica radical y la Triple A, dirigida por Aureliano Sánchez Arango, volvieron al camino insurreccional con una serie de acciones. La primera de ellas no provino, sin embargo, de las asociaciones revolucionarias sino del propio ejército de Batista. En abril de 1956, los coroneles Ramón Barquín y Manuel Varela y los comandantes Enrique Borbonet y José Orihuela, conectados con el líder de la Agrupación Montecristi y veterano de la Revolución de 1933, Justo Carrillo, planearon una insurrección militar que derrocaría al régimen de Batista y llamaría a elecciones legislativas y presidenciales. La conspiración, llamada de los "puros", fue descubierta y sus principales líderes recluidos en el Presidio Modelo de Isla de Pinos.

Varias semanas después del arresto de los oficiales, comandos de la Organización Auténtica y la Triple A, encabezados por Reynold García, intentaron tomar el cuartel Goicuría en Matanzas. El objetivo era hacerse del arsenal para crear una guerrilla rural y urbana en el occidente de la isla, que hiciera colapsar al régimen. Como tres años antes, cuando el Moncada, los asaltantes fueron abatidos en la acción o capturados y asesinados por el ejército de Batista. Ya en el verano de 1956, las voces que defendían una salida pacífica eran cada vez más débiles. El ambiente se enrareció aún más cuando un grupo de oficiales del ejército, que habían participado en el golpe del 10 de marzo (Alberto del Río Chaviano, Martín Díaz Tamayo, Leopoldo Pérez Coujil, Manuel Ugalde Carrillo...), en contacto con el dictador dominicano Rafael Leónidas Trujillo, introdujeron una gran cantidad de armas en la isla, para endurecer aún más al régimen de Batista.

En una cumbre de la OEA, en Panamá, en julio de 1956, Batista coincidió con el presidente de Estados Unidos, Dwight Eisenhower, y con varios dictadores de la región, como el dominicano Héctor Bienvenido Trujillo, el venezolano Marcos Pérez Jiménez, el guatemalteco Carlos Castillo Armas, el nicaragüense Anastasio Somoza García y colombiano Gustavo Rojas Pinilla. Arropado por esa compañía, el gobernante cubano lanzó un discurso ferozmente anticomunista, en el que justificaba la retención del poder y la aplicación de una represión sistemática de la oposición ante la amenaza a la seguridad nacional que representaba el comunismo. A partir de entonces la oposición pacífica no desaparecería del todo, y de hecho experimentaría una leve rearticulación en 1958, pero perdería el respaldo de la mayoría de los "auténticos" y los "ortodoxos" y de buena parte de la sociedad civil.

INSURRECCIÓN

La historia oficial de la Revolución cubana, tradicionalmente, ha aislado de su contexto algunos sucesos de la plural oposición a la dictadura de Fulgencio Batista, como el asalto al cuartel Moncada en julio de 1953, el exilio de los moncadistas en México entre julio de 1955 y noviembre de 1956 y el desembarco del yate *Granma*, en la costa sur del Oriente de Cuba, en diciembre de ese mismo año. Como hemos visto, esos sucesos están imbricados en la trama del conflicto político generado por el golpe de Estado del 10 de marzo de 1952 y sus protagonistas no eran ajenos a la sociedad política construida en la isla luego de la Revolución de 1933 y, sobre todo, de la Constitución de 1940. La lucha pacífica o violenta contra el régimen batistiano fue disputada por dos generaciones de revolucionarios cubanos: la de los años treinta y la de los cincuenta.

El exilio de Fidel Castro y sus hombres en México, en el verano de 1955, fue una decisión compartida por el líder moncadista con la dirigencia del Partido Ortodoxo. La elección de México no era gratuita, ya que en este país se había concentrado desde los días posteriores al cuartelazo del 10 de marzo de 1952, un grupo numeroso de políticos cubanos, fundamentalmente del Partido Auténtico y del derrocado gobierno de Prío Socarrás. México, Nueva York y Miami eran, entonces, las capitales del exilio antibatistiano y Castro y sus hombres sabían que en esas ciudades encontrarían apoyos de exiliados cubanos, bien conectados con las altas esferas del gobierno de México y, también, con sectores de la opinión pública en Estados Unidos.

A diferencia de los 200 "auténticos", funcionarios o colaboradores del gobierno derrocado, los moncadistas, en su mayoría, no recibieron asilo político del gobierno mexicano. La generosa política de asilo a los "auténticos", emprendida por los embajadores Benito Coquet y, sobre todo, Gilberto Bosques, por órdenes del presidente Adolfo Ruiz Cortines, fue tanto la continuidad de una política de Estado, favorable al respaldo de movimientos ideológicamente afines a la Revolución mexicana, como el de los republicanos españoles o los revolucionarios centroamericanos, como parte de la aplicación de la Doctrina Estrada. El gobierno de México no rompía relaciones con Batista y mantenía su sede diplomática en la isla, pero, a cambio, refugiaba a políticos cuyo gobierno, el de Carlos Prío Socarrás, formaba parte de una alianza regional de izquierdas nacionalistas y democráticas, la Legión del Caribe, contra las dictaduras centroamericanas y caribeñas, a la que pertenecieron también los gobiernos de José Figueres en Costa Rica, Rómulo Betancourt en Venezuela y Juan José Arévalo y Jacobo Árbenz en Guatemala.

Al llegar a México, los moncadistas crearon una plataforma de apoyos con varios conocidos en la ciudad, como las cubanas María Antonia González y la cantante Orquídea Pino, ambas casadas con mexicanos, que les dieron alojamiento. También contactaron a Antonio del Conde, *El Cuate*, dueño de una armería en la calle Revillagigedo, en el centro de la ciudad, donde obtuvieron las primeras armas y donde se confeccionaron los primeros uniformes del Ejército Rebelde. Pero algunos contactos importantes de los moncadistas en México provenían del exilio "auténtico", como el coronel republicano español Alberto Bayo Giroud, que había estado enrolado en la Legión del Caribe y que sería el jefe del entrenamiento de los jóvenes. O los diplomáticos Teresa Casuso y Carlos Maristany, que fueron relaciones clave tanto para la comunicación con los políticos "auténticos" y sus bases exiliadas, en Estados Unidos y México, como para ayudar a los moncadistas, en caso de aprietos con las autoridades mexicanas, tal como sucediera durante la breve detención de Fidel Castro y 27 de sus compañeros, por la Policía Federal en junio de 1956. Los moncadistas aprovecharon esos contactos para crear una red propia, de la que salió el eficaz financiamiento del movimiento, conducido por Juan Manuel Márquez. La historiadora Laura del Alizal señala que en 1956, luego de la gira proselitista de Fidel Castro por Estados Unidos y antes de su entrevista con el ex presidente Carlos Prío Socarrás, en McAllen, Texas, los revolucionarios contaban con un presupuesto de cerca de 20 000 dólares. En la entrevista con Prío, facilitada, según algunos historiadores, por Teresa Casuso, y, según otros, por Carlos Maristany, el ex presidente aportó al Movimiento 26 de Julio, 60 000 o 70 000 dólares, que fueron invertidos en la compra del yate *Granma* y una casa en el puerto de Tuxpan, donde se reunió todo el armamento destinado a la insurrección y donde se alojaron los 82 expedicionarios hasta fines de noviembre de 1956.

El exilio de Fidel Castro y sus hombres en México es interesante para comprender mejor el acomodo entre ideología y política en los orígenes del Movimiento 26 de Julio. Al salir de Cuba, Castro había dejado organizados dos importantes grupos de apoyo urbano, uno en La Habana, encabezado por Faustino Pérez y Armando Hart, y otro en Santiago, al mando de José Tey y el joven bautista Frank País, quien era el coordinador general del clandestinaje en las ciudades. En agosto de 1956, Frank País y Antonio (Ñico) López Fernández, otro líder del movimiento, viajaron a México a ultimar detalles sobre el desembarco y el levantamiento urbano, que debía acompañarlo en Santiago de Cuba. Al parecer, País no estaba convencido de que hubiera condiciones para el alzamiento e intentó, sin éxito, disuadir a Castro de que se postergara un poco más el desembarco.

Poco después de la visita de País, llegó a México una delegación del Directorio Estudiantil Universitario, encabezada por su máximo líder, José Antonio Echeverría. Por primera vez, ambos líderes revolucionarios se sentaban a pactar una estrategia común. El Pacto de México, que firmaron los dos, el 31 de agosto de 1956, es un documento importante para leer la proyección ideológica y política de la Revolución. Si hasta entonces, la mayoría de los documentos del Movimiento 26 de Julio reservaban el sentido "revolucionario" e, incluso, el significado mismo de la palabra "Revolución" al grupo moncadista, ahora se admitía, claramente, que el proceso revolucionario era un movimiento heterogéneo y plural, que contaba, además, con la "simpatía de la opinión democrática de América".

En el Pacto de México, Castro y Echeverría afirmaban que "ambas organizaciones habían decidido unir sólidamente su esfuerzo en el propósito de derrocar la tiranía y llevar a cabo la Revolución cubana". Aunque descartaban cualquier vía pacífica y cuestionaban directamente el proyecto electoral de la Sociedad de Amigos de la República (SAR) y la oposición cívica, ambos líderes llamaban a una amplia unidad de "todas las fuerzas revolucionarias, morales y cívicas del país, a los estudiantes, los obreros, las organizaciones juveniles y a todos los hombres dignos de Cuba", incluyendo al coronel Barquín y al comandante Borbonet, presos en Isla de Pinos, a los "oficiales prestigiosos y honorables" del ejército, que estuvieran "al servicio de la Constitución y del pueblo". Aunque no los mencionaba, era evidente que una convocatoria tan amplia también se dirigía a los sectores de la Ortodoxia y el Autenticismo que se apartaran de la vía electoral. Dentro de esos sectores no sólo estaban los "auténticos" radicales, como Aureliano Sánchez Arango, partidarios del derrocamiento de Batista, sino también el ex presidente Prío, que ayudaba financieramente tanto al 26 de Julio como al Directorio.

Este tono de convocatoria plural se había vuelto enfático en la documentación del 26 de Julio, en el verano de 1956, debido, en parte, al arresto de Castro y algunos de sus hombres, como el joven médico argentino, Ernesto Guevara, recién incorporado al movimiento, y a la amenaza de una deportación a la isla. Para lograr su liberación por la Policía Federal mexicana, Castro y su movimiento publicaron desplegados en el periódico *Excelsior* y hasta escribieron "cartas abiertas" al presidente Ruiz Cortines, una firmada por él y otra por Juan Manuel Márquez, Héctor Aldama y Raúl Castro, en las que insistían en su pertenencia ideológica a la tradición de la Revolución mexicana. Aquellas afirmaciones públicas de una ideología americana y democrática eran, también, una respuesta a las acusaciones que por esos mismos meses había hecho el periodista español, exiliado en México, Luis Dam, reproducidas en la revista *Bohemia*, a propósito de que Fidel Castro y sus hombres eran agentes del comunismo internacional. Una de las pruebas de la acusación de Dam era que Guevara tomaba un curso en el Instituto Cultural Mexicano-Soviético, como el propio revolucionario argentino confirmaba en una carta a sus padres del 6 de julio de 1956, desde la cárcel de Gobernación.

La liberación de Castro y sus compañeros fue posible por la intervención del general Lázaro Cárdenas, quien, a solicitud de sectores políticos del PRI cercanos a los "auténticos" y a los comunistas, se entrevistó con el presidente Ruiz Cortines, pero también por la buena disposición del entonces investigador de la Dirección Federal de Seguridad, Fernando Gutiérrez Barrios. En todo el proceso del arresto y la investigación de los revolucionarios cubanos en México, una cuestión recurrente fue la relación de algunos de los miembros del grupo cubano, como Guevara o el coronel Bayo, con el Partido Comunista. La exposición pública que generó el encarcelamiento de los moncadistas y el debate en la prensa mexicana y cubana sobre la identidad ideológica de los revolucionarios cubanos hizo que se acelerara el desembarco, en contra de la opinión de Frank País, desde entonces el máximo líder de la clandestinidad en la isla.

Aun así, en las últimas semanas de su exilio en México y a pesar de que las autoridades lo habían exhortado a que abandonara el país, Fidel Castro se posicionó públicamente sobre algunos sucesos políticos de la isla, que complicaban la apertura de su convocatoria y hacían inminente la expedición. Semanas antes de embarcarse en el *Granma*, Castro cuestionó el atentado del Directorio Revolucionario contra los coroneles Antonio Blanco Rico, jefe del Servicio de Inteligencia Militar (SIM), y Marcelo Tabernilla, en el cabaret "Montmartre" de La Habana, ejecutado por Rolando Cubela y Juan Pedro Carbó Serviá. En una entrevista exclusiva con el periodista Ramón Vasconcelos, director del periódico *Alerta* y, curiosamente, funcionario del gobierno de Batista —a quien en el *Manifiesto No. 1* había llamado "trotador de todos los pesebres gubernamentales"—, Castro anuncia su próximo desembarco en las costas de Cuba y reitera su ideología no comunista.

Tres días después de lo acordado, el 2 de diciembre de 1956, 82 jóvenes miembros del Movimiento 26 de Julio desembarcaron en el sur de Oriente y se internaron en la Sierra Maestra. Para entonces ya había estallado el levantamiento en la ciudad de Santiago de Cuba, dirigido por Frank País, que debió coincidir con el desembarco. Mientras la represión se desataba en la capital oriental los expedicionarios eran recibidos con un bombardeo aéreo al sur de Manzanillo, en la zona de Niquero, justo en las playas fangosas por donde desembarcó el contingente. Tras varios días de peregrinación por mangles y arrecifes, los rebeldes llegaron a tierra firme y tuvieron su primer enfrentamiento con las tropas del ejército, en Alegría de Pío, donde murió o fue capturado y fusilado el grueso de los expedicionarios del *Granma*. Una veintena de sobrevivientes, entre los que se encontraban algunos de los futuros comandantes del Ejército Rebelde, Fidel y Raúl Castro, Ernesto Guevara, Camilo Cienfuegos, Juan Almeida, Ramiro Valdés, Efigenio Ameijeiras, y líderes de la insurrección urbana como Faustino Pérez y René Rodríguez, conformó el núcleo de la futura tropa.

Gracias a la ayuda de campesinos de la zona, como Crescencio Pérez y Guillermo García, los rebeldes lograron internarse en la Sierra Maestra y encontrar cobijo de la aviación y las patrullas del ejército. Entre aquella semana de diciembre y los primeros días de enero de 1957, la represión en las calles de Santiago de Cuba fue brutal. El levantamiento del Movimiento 26 de Julio en esa ciudad, encabezado por País, fue mucho más intenso que el de La Habana, algunos de cuyos principales líderes (Pedro Miret, Armando Hart, Jesús Montané, Melba Hernández, Haydée Santamaría...) se encontraban fuera de la capital. País desplegó a sus hombres por las calles de Santiago, en Padre Pico, en la capitanía del puerto, en los alrededores del cuartel Moncada. La reacción del régimen contra la juventud santiaguera fue despiadada, incluyendo la ejecución de adolescentes como William Soler. A principios de enero de 1957, 500 madres santiagueras se manifestaron en las calles de la ciudad contra la represión, atrayendo la mirada de la opinión pública mundial.

La información que recibió y difundió el gobierno fue contradictoria. Mientras los partes del teniente Aquiles Chinea y el capitán José C. Tandrón, de la Guardia Rural, confirmaban que Fidel Castro, "con 200 hombres", había desembarcado y sobrevivido a los primeros combates, el régimen daba crédito a un cable de la UP, firmado por Francis L. McCarty, que aseguraba que Fidel Castro había muerto en combate. Protegidos en las montañas, los rebeldes se propusieron retomar la iniciativa por medio de ataques a cuarteles ubicados cerca de la costa, como el de La Plata, y más tarde El Uvero, donde se pertrecharon de armamento moderno. A su vez, Castro ordenó a sus tropas rurales y urbanas acciones de hostigamiento al régimen como la quema de cañaverales y el sabotaje a industrias y negocios, comunicaciones y transporte.

El siguiente paso sería ganar visibilidad en la opinión pública mundial, para lo cual, por medio de políticos civiles de La Habana, como Felipe Pazos, ex presidente del Banco Nacional de Cuba, se contactó al periodista de The New York Times, Herbert Matthews, y a la corresponsal de ese diario en La Habana, Ruby Hart Phillips, para proponerle al primero que entrevistara a Fidel Castro en la Sierra Maestra. Los varios artículos, ilustrados con fotos, que Matthews publicó en febrero de 1957 en ese importante periódico de Nueva York dieron la vuelta al mundo y naturalizaron la presencia de Fidel Castro como actor político central de la isla. A partir de una estrategia mediática persistente y sofisticada, en los próximos dos años, Castro lograría capitalizar simbólicamente esa presencia en la esfera pública doméstica e internacional.

Pero la insurrección contra Batista, quien había decretado una nueva suspensión de garantías constitucionales en enero de 1957, no se limitaba a Fidel Castro, a la Sierra Maestra o al Movimiento 26 de Julio. El Directorio Revolucionario y auténticos radicales, como Menelao Mora y Carlos Gutiérrez Menoyo, organizaron una acción el 13 de marzo de 1957 destinada a provocar la ejecución de Batista y el derrocamiento de su gobierno. El plan era que un grupo de 50 hombres, al mando de Mora, Gutiérrez Menoyo y Faure Chomón, tomara Palacio Presidencial y ajusticiara al dictador, mientras un contingente mayor daba cobertura a ese comando desde los altos de los edificios aledaños, Bellas Artes, la Tabacalera, el Hotel Sevilla y la Asociación de Reporteros, para impedir que Batista huyera por la azotea del palacio. Otro grupo menor, al mando de José Antonio Echeverría y Enrique Rodríguez Loeches, tomaría los estudios de Radio Reloj, en la CMQ, y llamaría a la población a lanzarse a una huelga general. Los asaltantes no pudieron llegar al tercer piso del palacio y fueron masacrados en las escaleras. Los que tomarían la CMQ sí pudieron llegar a los estudios de Radio Reloj, pero la alocución de Echeverría se vio interrumpida por una falla técnica. El líder del Directorio intentó llegar en automóvil a la Universidad de La Habana, donde se refugiarían los atacantes en caso de fracasar, pero por el camino chocó con una patrulla y murió en una balacera con la policía, a un costado de la Universidad. Mora y Gutiérrez Menoyo también perecieron en el combate del Palacio Presidencial.

Batista aprovechó el fracaso del ataque para levantar su popularidad. Días después del asalto, mientras el capitán Esteban

Ventura Novo perseguía, torturaba y ejecutaba a miembros del Directorio, Batista reunió a decenas de miles de seguidores y varias asociaciones (la Confederación de Trabajadores de Cuba, los veteranos de la Guerra de Independencia, los Propietarios de Molinos de Azúcar, compañías de seguros y gremios de cafetaleros, ganaderos y pescadores) frente al Palacio Presidencial y restó importancia a la oposición revolucionaria, acusando al ex presidente Prío de haber fraguado el asalto. La maquinaria represiva del régimen no sólo dañó a la juventud universitaria o al autenticismo radical sino también a líderes del Partido Ortodoxo, como Pelayo Cuervo Navarro, que fue arrestado en su casa una noche y amaneció muerto cerca del Country Club. Cuatro miembros del Directorio, que habían tomado parte en la acción del 13 de marzo fueron descubiertos en un apartamento en la calle de Humboldt, y ultimados por los hombres de Ventura.

Desde la Sierra Maestra, Fidel Castro repudió el asalto a Palacio Presidencial, al igual que los comunistas, que no compartían el método de la lucha armada. Las razones de los comunistas eran conocidas, dada la tradicional apuesta de ese partido por la oposición política, pero las de Castro tenían que ver tanto con su interés en diferenciar una revolución y un golpe de Estado como con su voluntad de controlar todo el movimiento revolucionario. A esa tensión con el Directorio Revolucionario, que se incrementaría durante el debate en torno al intento de alianza de todas las organizaciones opositoras realizado en Miami a fines de 1957, y, sobre todo, con la invasión del Ejército Rebelde a Las Villas, en 1958, y el choque de su dirigencia con las guerrillas del Escambray, se sumó muy pronto la discordancia teórica y práctica entre la jefatura rebelde, en la Sierra, y los líderes del Llano.

Esos desencuentros acompañaron todo el proceso insurreccional entre 1957 y 1958. Aun así, cuanta más capacidad combativa ganaba el Ejército Rebelde y mayores dificultades creaba al mando militar de la dictadura, el prestigio y la popularidad de la dirigencia revolucionaria, entre la ciudadanía y entre los propios líderes de la oposición pacífica, crecían. Si durante todo 1957, el trabajo de los líderes de la Dirección Nacional del 26 de Julio en La Habana y, en especial, en Santiago de Cuba, fue fundamental para dotar de hombres, armas y recursos a la Sierra Maestra, ya desde fines de ese año y, sobre todo, a partir de los primeros meses de 1958, el control que los rebeldes ejercieron sobre el sur de Oriente les permitió reproducirse sin depender tanto de la clandestinidad urbana.

Por lo pronto, Frank País, que había sobrevivido a la represión del levantamiento del 30 de noviembre en Santiago de Cuba, realizaba una actividad impresionante en el clandestinaje. Enviaba tropas de reclutas a la Sierra, como el primer contingente al mando de Jorge Sotús, que hicieron crecer el Ejército Rebelde a más de 100 hombres. Despachaba dinero, víveres, armamento a la guerrilla, y organizaba las milicias urbanas. Y, por si fuera poco, establecía contactos con otros sectores de oposición a Batista, como los conspiradores militares del Ejército y la Marina y los auténticos radicales que, al mando de Calixto Sánchez, desembarcaron en el yate *Corinthia* por Mayarí y fueron capturados y ejecutados por el régimen. En una de sus últimas cartas a Fidel Castro, País contaba que se había reunido con un enviado del coronel Barquín, involucrado en la "conspiración de los puros", quien le aseguraba que había varios grupos militares preparándose para derrocar a Batista. Aquellas observaciones de País se confirmaron pocos meses después, en septiembre de 1957, cuando estalló un levantamiento de oficiales de la Marina, encabezado por Dionisio San Román, en la ciudad de Cienfuegos, que fue sofocado por un ataque aéreo del gobierno.

Entre mayo y julio de 1957, País revoluciona la ciudad de Santiago de Cuba, como reconoce Herbert Matthews en *The New York Times*. Aquella incesante labor clandestina tenía resonancia en personalidades e instituciones de la sociedad civil, como el juez Manuel Urrutia Lleó, que se opuso a procesar a los jóvenes capturados durante los sucesos de noviembre de 1956, con el mismo razonamiento que sostuvo en el juicio del Moncada, o el arzobispo Enrique Pérez Serantes, que favorecía a la juventud católica revolucionaria. Por aquellos meses, País tuvo varios contactos con el cónsul de Estados Unidos en Santiago de Cuba, Oscar H. Guerra, y con el vicecónsul, William Patterson, quien transmitió a País su interés en reunirse con Fidel Castro. Por aquellos meses el gobierno de Estados Unidos había removido a su antiguo embajador, Arthur Gardner, demasiado comprometido con el régimen de Batista, y había enviado al corredor de la Bolsa de Nueva York y Palm Beach, Earl E.T. Smith, que intentó dar un leve giro a la política de Washington hacia la dictadura y la revolución.

Cuando Jules Dubois, periodista del *Chicago Tribune* y jefe de la Inter-American Press Association, viajó a Santiago de Cuba, le ofrecieron un banquete en el Country Club de la ciudad, al que asistieron Urrutia, Pérez Serantes, el presidente de la Cámara de Comercio Daniel Bacardí y varios titulares de la asociaciones civiles, como el Club Rotario, el Club de Leones, la Asociación Médica y el Colegio de Abogados. La impresión que aquella cena dejó en el periodista fue que la sociedad civil de Santiago de Cuba simpatizaba con Frank País y Fidel Castro. Fue esa ascendente popularidad la que llevó al régimen a ordenar la ejecución de País, llevada a cabo por el coronel José Salas Cañizares, cuyo hermano Rafael había sido ajusticiado en las afueras de la embajada de Haití por los revolucionarios que sobrevivieron al asalto al cuartel Goicuría, que intentaban asilarse. El asesinato de País, el 30 de julio de 1957, provocó al día siguiente una manifestación multitudinaria en Santiago de Cuba, que interceptó la caravana de coches del embajador Smith y su comitiva, de visita en esa ciudad oriental.

Mientras explotaban bombas en La Habana y en Santiago de Cuba, la revolución se extendía a amplios sectores de la sociedad civil, la guerrilla de la Sierra Maestra aumentaba su capacidad militar, puesta a prueba en la toma del cuartel del Uvero, a fines de mayo de 1957, donde los rebeldes rindieron a la guarnición y se hicieron de un importante parque militar. Poco después de aquella victoria, Castro envió un mensaje a sus seguidores en las ciudades en el que afirmaba que la guerrilla iba "tomando los perfiles de un pequeño ejército", y conminaba a la clandestinidad a destinar todos los hombres y recursos a la Sierra, evitando levantamientos en Santa Clara, la capital de la zona central, e insistiendo en que la estrategia correcta era la guerra revolucionaria por medio del Ejército Rebelde y no "la tesis del golpe militar o *putsch* en la capital".

LLANO Y SIERRA

A medida que el Movimiento 26 de Julio desarrollaba sus redes clandestinas en La Habana y Santiago de Cuba, la dirección revolucionaria comenzó a reflejar una tensión entre distintas ideas de la Revolución en su etapa insurreccional y, también, en su eventual arribo al poder. Al igual que País en Santiago, los dirigentes del 26 de Julio y la Resistencia Cívica en La Habana (Enrique Oltuski, Armando Hart, Faustino Pérez, Mario Llerena, Carlos Franqui, Manuel Ray...), provenientes, en su mayoría, del Movimiento Nacional Revolucionario del filósofo Rafael García Bárcenas, estaban acostumbrados al contacto con una oposición pacífica o violenta, ideológica y políticamente plural.

En cartas que aquellos dirigentes enviaban a País, en Santiago, y a Castro, en la Sierra, contaban que con frecuencia caían presos, en el castillo de El Príncipe, y coincidían en esa cárcel con comunistas, con "auténticos", "ortodoxos" y miembros del Directorio Revolucionario. En la prisión, los grupos revolucionarios debatían sobre cuál era la mejor forma de organizar la lucha contra la dictadura: por medio de un golpe en la cúpula del régimen, mediante atentados a figuras del gobierno, sabotajes a servicios públicos o instalaciones privadas, huelgas sectoriales o generales, milicias urbanas o por medio de la guerra revolucionaria desde las montañas. El contacto de aquellos dirigentes con líderes de la oposición tradicional, como el "ortodoxo" Raúl Chibás o el "auténtico" Felipe Pazos, que ya se habían incorporado al 26 de Julio, generaba, además, la expectativa de que el liderazgo de la Revolución y, especialmente Fidel Castro, se pronunciara más abiertamente en términos ideológicos y favoreciera la creación de un gobierno provisional.

Desde el exilio en México, el programa del Movimiento 26 de Julio estaba ideológicamente definido en términos de una izquierda nacionalista y democrática, no comunista. En *La historia me absolverá* (1954), en los dos manifiestos de la organización de 1955 y en el programa *Nuestra razón* (1956), redactado por Mario Llerena en La Habana, en noviembre de 1956, se proyectaba la aplicación de una serie de leyes revolucionarias de beneficio social, como la reforma agraria, o de reforzamiento de la independencia económica, como la nacionalización de las compañías de servicios públicos. También en *Nuestra razón* se postulaba la premisa básica de la estrategia de lucha del Movimiento 26 de Julio y, en particular, de Fidel Castro: la Sierra Maestra como fuente de legitimidad de la "revolución verdadera".

Aun así, la demanda de una mayor claridad programática, de la instalación de un gobierno provisional y de rechazo al caudillismo, por parte de los dirigentes del Llano, tenía que ver con las alianzas con los partidos tradicionales y otras corrientes políticas que exigía la lucha clandestina. En una carta del 7 de julio de 1957, País escribía a Castro que "en una revolución no se puede hacer asambleas ni se puede tampoco centralizarlo todo en una sola persona". Es a partir de esa demanda, que Fidel Castro, a solicitud de País, acepta recibir en la Sierra Maestra a líderes civiles como Raúl Chibás, hermano del líder "ortodoxo" y ex presidente de ese partido, y al economista Felipe Pazos, autor, junto con Regino Boti, del moderando programa económico del Movimiento 26 de Julio. Castro, Chibás y Pazos dieron a conocer, el 28 de julio de 1957, la famosa "Carta de la Sierra" que puso, en claro, una vez más, el nacionalismo democrático de los rebeldes:

> ¿Es que los rebeldes de la Sierra Maestra no queremos elecciones libres, un régimen democrático, un gobierno constitucio-

nal? Porque nos privaron de esos derechos hemos estado luchando desde el 10 de marzo de 1952. Por desearlos más que nadie estamos aquí. Para demostrarlo, ahí están nuestros combatientes muertos en la Sierra y nuestros compañeros asesinados en las calles o recluidos en las mazmorras de las prisiones; luchando por el hermoso ideal de una Cuba Libre, democrática y justa. Lo que no haremos es comulgar con la mentira, la farsa y la componenda.

Con este manifiesto, el Movimiento 26 de Julio instalaba un nuevo organismo, el Frente Cívico Revolucionario, que intentaría atraer a los partidos políticos y asociaciones civiles partidarios de la Revolución. Chibás, Castro y Pazos invitaban a la Sierra a los dirigentes de esas instituciones, pero, agregaban, que si no querían ir a la Sierra, el 26 de Julio siempre podía estar representado en La Habana, Miami, México o la ciudad que se eligiera para alguna reunión del Frente Cívico Revolucionario. Este organismo, además, sería responsable de conformar un gobierno provisional, encabezado por quien designase el Conjunto de las Instituciones Cívicas, encabezado por el abogado José Miró Cardona. La idea original de País era que el presidente del gobierno provisional fuera Chibás, pero éste declinó la propuesta. En todo caso, una de las funciones de ese gobierno provisional sería "celebrar elecciones generales para todos los cargos del Estado, las provincias y los municipios en el término de un año bajo las normas de la Constitución del 40 y el Código Electoral del 43 y entregar el poder inmediatamente al candidato que resulte electo".

La muerte de País y su reemplazo por René Ramos Latour provocó una serie de diferencias entre la dirección urbana y la guerrillera del Movimiento 26 de Julio, que se complicó con la participación de varios representantes de la organización en el exilio (Raúl Chibás, Felipe Pazos, Lester Rodríguez, Mario Llerena) en un pacto con partidos opositores en Miami. Por un lado, en sus mensajes a la dirigencia clandestina, Castro reprochaba que no se hacía lo suficiente para destinar todos los recursos financieros disponibles a la Sierra. A pesar de que varios líderes de las ciudades, como Faustino Pérez, René Rodríguez o Celia Sánchez habían pasado primero por la Sierra y desde ahí habían sido enviados a La Habana, Santiago de Cuba o Manzanillo, Castro se quejaba, en su correspondencia con Armando Hart o René Ramos Latour, de cierta tendencia a autonomizar la lucha en las ciudades. Ramos Latour y Hart, sin embargo, intentaban convencerlo de lo contrario, de que consideraban la Sierra y el Llano como parte del mismo movimiento y redoblaban esfuerzos en el apoyo a la guerrilla. En una carta del 3 de octubre a Castro, Ramos Latour aseguraba que en dos meses había enviado 7 000 pesos a la Sierra.

La Carta de la Sierra, firmada por Castro, Pazos y Chibás, era una manera de tender un puente entre la oposición violenta y sectores radicales de la oposición pacífica, que comenzaba a reagruparse luego del asalto a Palacio Presidencial. Una Comisión Bicameral, impulsada por el presidente del Congreso Anselmo Alliegro, había logrado sentar en la mesa de negociaciones a distintos grupos de la oposición, como los "ortodoxos" con Emilio Ochoa y Carlos Márquez Sterling, el "auténtico" Manuel Antonio de Varona, el senador Raúl Lorenzo, el ahora líder del Movimiento Nacionalista José Pardo Llada, y Amalio Fiallo por el Movimiento de Liberación Radical, entre otros. Aquella Comisión Bicameral, que logró algunas concesiones importantes por parte del gobierno, como el restablecimiento del Código Electoral del 43, el voto directo y libre y la suspensión del veto provincial, dio lugar al "Manifiesto de los Cinco", firmado por Márquez Sterling, Ochoa, Pardo Llada, Fiallo y el veterano político Porfirio Pendás, y publicado por el *Diario de la Marina,* en junio de 1957, que apostaba nuevamente por el diálogo político con el gobierno.

El conflicto entre el Llano y la Sierra arreció en noviembre, cuando se dio a conocer el "Pacto de Miami", firmado por una

Junta de Liberación integrada por "auténticos" (Carlos Prío, Manuel Antonio de Varona, Carlos Hevia y Carlos Maristany), "ortodoxos" (Roberto Agramonte, Manuel Bisbé y Emilio Ochoa), el Directorio Revolucionario (Faure Chomón), la Federación Estudiantil Universitaria (Ramón Prendes, Juan Nuiry y Omar Fernández), además del ex congresista Lincoln Rodón y los líderes sindicales Ángel Cofiño y Marcos Yrigoyen. Algunos de los políticos auténticos involucrados en el Pacto de Miami, como Varona y Hevia, también jugaban a la negociación con el gobierno, y el papel de Prío, como principal fuente de ingresos de varias de las asociaciones reunidas en Miami, era central. El Pacto de Miami no era un documento a favor de la oposición pacífica o el diálogo político, ya que subordinaba cualquier escenario electoral a la caída de Batista y al triunfo de la Revolución. Sin embargo, la presencia en el mismo de políticos tradicionales, como el ex presidente de la Cámara Lincoln Rodón, que ofreció su casa para las reuniones, molestó a los líderes de la Sierra.

A pesar de que Castro había designado a Mario Llerena y a Lester Rodríguez como miembros del Comité en el Exilio, desautorizó la firma del segundo en el Pacto de Miami y cuestionó que Pazos actuara en nombre del 26 de Julio. En un principio, sus reproches a los jefes de la clandestinidad, especialmente a Ramos Latour y Hart, parecían concentrarse en que los firmantes habían actuado sin su consentimiento. Pero luego, las críticas fueron subiendo de tono, a medida que se sumaban a la polémica otros jefes de la Sierra, como Raúl Castro y el Che Guevara, quien se había estrenado como escritor político en el periódico rebelde El Cubano Libre, donde escribía la columna "Tiro al aire", con el pseudónimo de "El Francotirador". Lo que les parecía intolerable del pacto era que no hubiera un pronunciamiento claro de que no se aceptaría una junta militar o, incluso, un gobierno provisional que no estuviera avalado por las montañas, además de que no se descartara enfáticamente cualquier mediación por parte de Estados Unidos. El pacto, para colmo, se firmaba en Miami y su buena acogida en la prensa norteamericana era evidente.

Raúl Castro, en un mensaje a Fidel, el 20 de noviembre de 1957 era mordaz con los firmantes de la carta: "el astuto 26 de Julio ha caído ingenuamente en una torpe emboscada politiquera". Felipe Pazos, agregaba, "se ha develado como el politiquero ambicioso que llevaba adentro dormido".

Sobre Lester Rodríguez, decía el menor de los Castro, "una vez abandonó el mortero contra el ejército y el enemigo lo capturó; esta vez abandonó el mortero contra los políticos y también lo capturaron..., debiéramos dejarlo de una vez del lado de allá", en referencia a la actuación militar de Rodríguez durante el asalto al cuartel Moncada. A Raúl Castro también le parece equivocada la justificación del comportamiento de Pazos y Rodríguez que intentan Hart y otros líderes del Llano y no duda en calificar dicho comportamiento como "traición a la Revolución". Y concluye: "indudablemente que estos dos señores [Pazos y Lester] ni fusilándolos pagan lo que han hecho". Pero ¿qué era lo que proponía el Pacto de Miami para provocar una reacción tan colérica?

En esencia, el pacto llamaba a "incrementar la lucha contra el régimen de terror de Batista hasta restaurar en la isla una forma democrática de gobierno" y reiteraba la aspiración a un "orden constitucional, legal y democrático". Los firmantes también demandaban la "inmediata libertad para todos los presos políticos, civiles y militares", el "restablecimiento de libertades cívicas" y de "sistemas de control y castigo para acabar con el peculado" y exhortaba a todas las instituciones de la sociedad civil cubana a sumarse a la lucha contra Batista. Había, sin embargo, un punto problemático para el liderazgo rebelde y era la solicitud que se hacía a la ONU, la OEA y el gobierno de Estados Unidos de que, además de suspender el envío de armas al régimen, "reconocieran a la Junta de Liberación Cubana, dada la guerra civil que existe en la isla". Fidel Castro interpretó ese punto como una solicitud de mediación a Estados Unidos y como el establecimiento de un gobierno *de facto* en el exilio, que relegaba a los jefes rebeldes.

En una carta dirigida a todos los firmantes del Pacto de Miami, escrita el 14 de diciembre de 1957, Castro protestó por la subestimación de la lucha en la Sierra que, a su juicio, reflejaba el documento. Los rebeldes, decía, no estaban enfrascados en una acción guerrillera de limitado alcance sino que ya operaban una "guerra de columnas", que podía poner en jaque al ejército de Batista. Los firmantes del pacto hablaban en nombre de una "revolución imaginaria", cuando en el Oriente de la isla tenía lugar una "revolución real", cuya dirección residía en la Sierra. Y remataba: "quienes quieran en el presente y en el futuro que se les considere jefes de la Revolución deben estar en el país afrontando directamente las responsabilidades, riesgos y sacrificios que demanda el minuto cubano". Lo más preocupante, a su juicio, era el acuerdo referido a las relaciones con Estados Unidos, que podía interpretarse como una invitación a que Washington mediara o, incluso, que interviniera:

Suprimir en el documento de unidad la declaración expresa de que se rechaza todo tipo de intervención extranjera en los asuntos internos de Cuba, es de una evidente tibieza patriótica y una cobardía que se denuncia por sí sola. Declarar que somos contrarios a la intervención no es sólo pedir que no se haga a favor de la Revolución, porque ello iría en menoscabo de nuestra soberanía, e incluso en menoscabo de un principio que afecta a todos los pueblos de América; es pedir también que no se intervenga a favor de la dictadura enviándole aviones, bombas y armas modernas con las cuales se sostiene en el poder, y que nadie como nosotros y, sobre todo, la población campesina de la Sierra ha sufrido en sus propias carnes.

Ambos puntos, el del rechazo a una mediación o intervención de Estados Unidos y el de la oposición a una junta militar, aparecían, en efecto, en la Carta de la Sierra, firmada por Castro, Chibás y Pazos en julio de 1957, pero el segundo estaba implícito en el Pacto de Miami, ya que la Junta de Liberación, en representación de todas las organizaciones de la oposición violenta o pacífica, se presentaba, de hecho, como el gobierno provisional que organizaría la "transición entre la dictadura y la democracia".

El papel que se confería a Estados Unidos en el proceso era lo que realmente molestaba a los líderes de la Sierra, en especial a Fidel, Raúl y el Che quienes en sus cartas enjuiciaban duramente a los dirigentes urbanos como cómplices de una claudicación. Jefes de la revolución urbana, como Ramos Latour y Hart, se defendieron de las críticas de la Sierra. Hart, por ejemplo, que viajó a Miami a reunirse con los líderes del 26 de Julio en el exilio, pensaba, a diferencia de Ramos Latour, que la actuación de Pazos había sido correcta y eximía de toda responsabilidad a Llerena y Rodríguez que, a su juicio, hacían un buen trabajo de promoción de las ideas del 26 de Julio en el exilio, especialmente en Estados Unidos.

Aun así, la dirigencia revolucionaria de la Sierra debatió durante dos meses, con los líderes del Llano, el tema de la alianza con las otras organizaciones opositoras en el Pacto de Miami. Ramos Latour y Hart subieron a la Sierra y desde allí enviaron instrucciones a sus agentes en el Llano y a Mario Llerena, designado jefe de Propaganda y Relaciones Públicas del 26 de Julio en el exilio. Las instrucciones que recibía Llerena eran que se mantuviera dentro del pacto e intentara defender la idea de la propuesta del 26 de Julio de que quien debía ser designado como presidente por las Instituciones Cívicas era el juez santiaguero Manuel Urrutia, también exiliado en Miami. La propuesta de Llerena, según relatara en su libro *The Unsuspected Revolution* (1978), publicado en el exilio, no fue aceptada por la Junta de Liberación, que favorecía a otros candidatos como Felipe Pazos.

La desautorización del Pacto de Miami por Fidel Castro, el 14 de diciembre de 1957, dio pie a que otros jefes de la Sierra

Maestra entraran en el debate ideológico sobre el programa de la Revolución. El Che Guevara, que ya comandaba una columna muy activa, aprovechó esa desautorización para desplazar la polémica a un plano doctrinal, en un intercambio de cartas con René Ramos Latour, el sucesor de Frank País en Santiago de Cuba. Las diferencias entre Guevara y Ramos Latour se habían acumulado en los últimos meses, como consecuencia de la incomunicación, de algunas dificultades en el envío de fondos y de contradicciones tácticas en relación con la zona de operaciones de la columna del Che. La posición oficial de la Sierra, establecida por Castro en su crítica al Pacto de Miami, permitió a Guevara trasladar la discusión al plano de la disputa Este/Oeste de la Guerra Fría. Así, escribía Guevara a Ramos Latour, a mediados de diciembre:

> Pertenezco por mi preparación ideológica a los que creen que la solución de los problemas del mundo está detrás de la llamada cortina de hierro y tomo este movimiento como uno de los tantos provocados por el afán de la burguesía de liberarse de las cadenas económicas del imperialismo. Consideré siempre a Fidel como un autentico líder de la burguesía de izquierda, aunque su figura está realzada por cualidades personales de extraordinaria brillantez que lo colocan muy por arriba de su clase. Con ese espíritu inicié la lucha: honradamente sin esperanza de ir más allá de la liberación del país, dispuesto a irme cuando las condiciones de la lucha posterior giraran a la derecha (hacia lo que Uds. Representan) toda la acción del Movimiento. Pareciéndome imposible lo que después supe, es decir, que se tergiversaba así la voluntad de quien es auténtico líder y motor único del Movimiento, pensé lo que me avergüenzo de haber pensado.

Ramos Latour, que en octubre había subido a la Sierra a debatir el asunto del Pacto de Miami, responde de esta forma a Guevara:

Supe desde que te conocí de tu preparación ideológica y jamás hube de referirme a ello. No es ahora el momento de discutir "donde está la salvación del mundo". Quiero sólo dejar constancia de nuestra opinión, que por supuesto es enteramente distinta de la tuya. Considero que no hay en la Dirección Nacional del Movimiento ningún representante de "la derecha" y sí un grupo de hombres que aspiran a llevar adelante con la liberación de Cuba, la Revolución que, iniciada en el pensamiento político de José Martí, luego de su peregrinar por las tierras americanas, se vio frustrada por la intervención del gobierno de los Estados Unidos en el proceso revolucionario. Nuestras diferencias fundamentales consisten en que a nosotros nos preocupa poner en manos de los pueblos tiranizados de "nuestra América" los gobiernos que, respondiendo a sus ansias de Libertad y Progreso, sepan mantenerse estrechamente unidos para garantizar sus derechos como naciones libres y hacerlos respetar por las grandes potencias.

Y agrega:

Nosotros queremos una América fuerte, dueña de su propio destino, una América que se enfrente altiva a los Estados Unidos, Rusia, China o cualquier potencia que trate de atentar contra su independencia económica y política. En cambio los que tienen tu preparación ideológica piensan que la solución a nuestros males está en liberarnos del nocivo dominio "yanqui" por medio del no menos nocivo dominio "soviético"... En cuanto a mí, puedo decirte que me considero un obrero; como obrero trabajé hasta que renuncié a mi salario por incorporarme a las Fuerzas Revolucionarias de la Sierra, abandonando al mismo tiempo mis estudios de Ciencias Sociales y Derecho Político, que había emprendido con la esperanza de prepararme debidamente para servir mejor a mi pueblo. Soy obrero, pero no de los que militan en el Partido Comunista y se preocupan grandemente por los problemas de Hungría y Egipto, que no pueden resolver, y no son capaces de renunciar a sus puestos e incorporarse al proceso revolucionario que tiene, como fin inmediato, el derrocamiento de una oprobiosa dictadura.

En el mismo sentido de Ramos Latour se pronunció Armando Hart, quien en carta Manuel Urrutia del día 15 de diciembre de 1957, desde la Sierra Maestra, intentaba convencerlo de que, a pesar de la desautorización del Pacto de Miami por Castro, la idea de crear un gobierno provisional encabezado por él, que esclareciera la ideología no comunista de la Revolución, seguía en pie. Hart, su esposa Haydée Santamaría, Celia Sánchez, Luis M. Buch, Mario Llerena y otros dirigentes del Movimiento 26 de Julio, familiarizados no sólo con la vida política de Santiago de Cuba y La Habana sino con las demandas de la opinión pública doméstica e internacional, le daban mucha importancia a la proyección no comunista de la ideología revolucionaria. Es por ello que Hart escribía a Urrutia:

> ... Aunque la situación ha variado algo desde nuestra última conversación, no por ello dejará usted de aceptar el más alto honor a cubano alguno en la hora presente: el de aparecer como candidato a la primera magistratura del Estado de una juventud que lo está dando todo a cambio sólo de la honra de ser fiel a la tradición "mambisa". Es decir, a la tradición democrática y, en modo alguno comunista, de nuestros libertadores y mambises.

El debate epistolar entre Llano y Sierra se avivó cuando al bajar de las montañas, el 12 enero de 1958, fueron detenidos Javier Pazos, hijo de Felipe Pazos, y Armando Hart, uno de los principales dirigentes de la Dirección Nacional del 26 de Julio. Según informó Ramos Latour a Castro, a Hart lo habían golpeado en Bayamo, para luego trasladarlo al castillo del Príncipe y, finalmente, a Isla de Pinos, donde permanecería hasta la caída de Batista. En su detención le habían ocupado cartas que permitían reconstruir la polémica ideológica de los últimos meses. En la radio oficial, Rolando Masferrer y Rafael Díaz Balart aseguraron que el Che Guevara y Raúl Castro eran comunistas y admiradores de Stalin. En carta a Fidel, Raúl concluyó que el régimen había tomado la información de una carta de Hart a Guevara, en la que se discutía el estalinismo.

Las tensiones entre la Sierra, el Llano y el Comité del 26 de Julio en el exilio, encabezado por Mario Llerena y Raúl Chibás, no culminaron con la desautorización del Pacto de Miami. Decididos a avanzar en la creación de un gobierno provisional, encabezado por el juez Manuel Urrutia, y a convencer a la opinión pública internacional —especialmente a la norteamericana, de donde saldría una importante presión a favor del embargo de armas al régimen de Batista— de la legitimidad y la orientación ideológica no comunista de la causa revolucionaria, Llerena, Chibás y el propio Urrutia, en coordinación con líderes del Llano como Faustino Pérez y Marcelo Fernández, intensificaron la comunicación entre los diversos grupos del exilio, en Nueva York, Miami, la ciudad de México, Venezuela y otros países latinoamericanos, llegando a remitir ayudas a la Sierra por más de 40 000 dólares, además de lograr importantes pronunciamientos a favor de la Revolución, como los de los congresistas norteamericanos Charles O. Porter y Adam Clayton Powell, negociados por Llerena.

Entre febrero y abril de 1958, mientras arreciaba la lucha guerrillera con la creación del Frente de la Sierra del Escambray, en el centro de la isla, donde se destacaban los grupos armados de Eloy Gutiérrez Menoyo y Faure Chomón, y crecían y se multiplicaban las columnas de la Sierra Maestra —en marzo, Raúl Castro creó el Segundo Frente Frank País, en la Sierra Cristal, al norte de la provincia de Oriente—, sectores de la sociedad civil cubana intentaron retomar la vía pacífica. El Episcopado de la Iglesia católica propuso crear una Comisión de la Concordia, encabezada por dignatarios del clero, como el sacerdote Pastor González y políticos partidarios de la solución electoral como Grau San Martín, Raúl de Cárdenas, Víctor Pedroso y Gustavo Cuervo Rubio. La propuesta del Episcopado fue rechazada automáticamente por Batista, desde el Palacio Presidencial, y por Castro, desde la Sierra, pero aceleró los planes políticos de ambos.

La crisis de legitimidad del régimen, que se evidenció con el embargo de armas decretado por el gobierno de Estados Unidos, también en marzo de 1958, obligó a Batista a convocar a nuevas elecciones presidenciales en noviembre, admitiendo observadores de la OEA y la ONU. En una entrevista con Homer Bigart, para *The New York Times*, Castro pareció concordar con la idea, pero en la práctica lo que intentó fue hacer más compacto el proyecto político del Movimiento 26 de Julio. A la vez que recibía en la Sierra a líderes del Partido Socialista Popular, como Carlos Rafael Rodríguez y Luis Mas Martín, convocaba a una reunión de la Dirección Nacional de su organización en las montañas, para planear una huelga general y adelantar la formación de un gobierno revolucionario, encabezado por el juez Urrutia. Los acuerdos de aquella reunión se reflejaron en un nuevo manifiesto de la Sierra Maestra, del 12 de marzo, conocido como "Manifiesto de Marzo" y firmado por Fidel Castro, como comandante en Jefe de las Fuerzas Rebeldes, y Faustino Pérez, como delegado de la Dirección Nacional.

Allí Castro y Pérez anunciaban que la lucha contra la dictadura de Batista había entrado en una "fase final", caracterizada por el incremento paralelo de la acción revolucionaria en las ciudades y las montañas. A pesar de la reciente firma del "Pacto de Caracas", que unía a diversas fuerzas antibatistianas, los líderes del 26 de Julio entendían la Revolución como un proceso conducido exclusivamente por el Ejército Rebelde y por la Resistencia Cívica del Movimiento 26 de Julio en el

Llano. Anunciaban, entonces, una próxima huelga general en las ciudades y una ofensiva militar en Oriente, a partir del 5 de abril de 1958, que provocaría el colapso de la dictadura y evitaría la instauración de una junta militar. Desde fines de marzo, la actividad del 26 de Julio y la Resistencia Cívica en La Habana, coordinada por Faustino Pérez y el ingeniero Manuel Ray, se intensificó por medio del estallido de bombas, sabotajes y atentados. Sin embargo, la huelga general, convocada para el 9 de abril, fracasó en su propósito de provocar el colapso del régimen.

El llamado a la huelga no encontró eco en el movimiento sindical oficial, encabezado por Eusebio Mujal, ni por el opositor, que dirigían los comunistas. La falta de colaboración con otras organizaciones revolucionarias, como el Directorio Estudiantil, también influyó en el fracaso de la movilización popular. Fidel Castro responsabilizó, fundamentalmente, a la dirección urbana del Movimiento 26 de Julio y convocó a sus máximos dirigentes a una reunión en la Sierra Maestra, que tendría lugar en Alto de Mompié, el 3 de mayo de 1958, y que marcó, en realidad, el inicio del futuro gobierno revolucionario. En duras cartas a Raúl Chibás y Mario Llerena, sus principales agentes en el exilio, y a los líderes de la clandestinidad, Castro reprochó a los líderes civiles del Movimiento 26 de Julio la incapacidad de abastecer de hombres y armas a la Sierra:

… Sólo una amarga queja tengo y no por lo que personalmente me concierne, sino por las consecuencias que ha entrañado. El Movimiento ha fracasado absolutamente en la tarea de abastecernos. Al egoísmo y, en ocasiones, y hasta las zancadillas de otros sectores, se ha unido la incapacidad, la negligencia y hasta la deslealtad de algunos compañeros. La organización no ha logrado enviarnos desde fuera ni un fusil ni una bala. Lo único recibido hace algunas semanas fue gestionado y entregado por nosotros desde aquí.

De ese amargo diagnóstico se desprendieron algunas decisiones de la mayor importancia para el curso inmediato de la Revolución. Una de ellas fue la toma del control del abastecimiento de armas por parte del propio Ejército Rebelde, liberando de esa responsabilidad al Llano. También, entre los acuerdos de Alto de Mompié estuvo el de reforzar las redes internacionales de los revolucionarios cubanos con Venezuela y Costa Rica, donde los gobiernos de Wolfgang Larrazábal, Rómulo Betancourt y José Figueres, viejos aliados de México en la Legión del Caribe, parecían decididos a forzar la caída de las últimas dictaduras caribeñas y centroamericanas y a convencer a Estados Unidos de que era preciso cambiar de posición política respecto a Cuba, por el bien de la región. Pero la reunión de Alto de Mompié reveló otra cosa: que los jefes militares de la Sierra constituían un grupo ideológico y político en el que pesaban no sólo Fidel Castro y miembros del Movimiento muy cercanos a él, como Celia Sánchez, Haydée Santamaría o Armando Hart, sino nuevos comandantes como Ernesto Che Guevara y Raúl Castro, con una clara orientación comunista.

Una vez concentrado todo el poder militar y político en la Sierra y, específicamente, en la persona de Castro, la nueva dirección ordenó a Raúl Chibás y a Mario Llerena que viajaran a Caracas y se reunieran con otros líderes de la oposición, algunos de ellos, como el ex presidente Prío Socarrás, los auténticos Manuel Antonio de Varona y Lincoln Rodón y el ortodoxo Manuel Bisbé, firmantes del Pacto de Miami, además del líder de las Instituciones Cívicas José Miró Cardona, el del Directorio Revolucionario Enrique Rodríguez Loeches y los dirigentes obreros David Salvador, Pascasio Lineras y José María Aguilera, entre otros. A diferencia del Pacto de Miami, el Pacto de Caracas sí fue firmado por Fidel Castro, a pesar de que en el mismo figuraban políticos tradicionales o, en algún momento, pacifistas. El cambio de actitud se debió a que ya para mayo de 1958, la Sierra detentaba la hegemonía de la Revolución y la política civilista o democrática debía subordinarse al mando rebelde, empezando por la aceptación de que el presidente del gobierno revolucionario sería el juez Manuel Urrutia Lleó. A aquella reunión en Alto de Mompié asistió, por cierto, Luis M. Buch Rodríguez, quien ya actuaba como agente de Castro ante Urrutia y quien debía trasladarse a Venezuela con el futuro presidente y, desde allí, coordinar la instalación del gobierno revolucionario en la Sierra. A partir de entonces, la dirigencia clandestina urbana del 26 de Julio quedaría férreamente subordinada a la jefatura militar. Su principal líder, René Ramos Latour, fue, de hecho, trasladado a la Sierra donde cayó en combate poco después con el grado de comandante. Además de todos los políticos que firmaron el Pacto de Caracas, en julio de 1958, la mayoría de las asociaciones de la sociedad civil cubana, reunidas en el Conjunto de Instituciones Cívicas que presidía el abogado José Miró Cardona, también suscribieron los acuerdos de Alto de Mompié al aceptar que el máximo liderazgo militar y político de la Revolución residía en la Sierra Maestra y que el presidente del eventual gobierno revolucionario sería el abogado Urrutia Lleó. Como recordó Buch Rodríguez en su libro *Gobierno revolucionario cubano: génesis y primeros pasos* (1999), el Directorio Revolucionario y la Agrupación Montecristi, que lideraba Justo Carrillo, objetaron en Caracas la designación de Urrutia como presidente, pero en otra reunión, en Miami, en agosto del 58, la aceptaron y concordaron con los otros grupos que el coordinador del Frente Cívico-Revolucionario, la organización que encabezaría la unidad de las fuerzas opositoras, fuera Miró Cardona.

CÓMO CAYÓ BATISTA

En un libro escrito después de su retiro del poder, *La victoria estratégica* (2011), Fidel Castro reconoció que la guerra revolucionaria cubana tuvo lugar, rigurosamente, entre mayo y diciembre de 1958. Tras el fracaso de la huelga del 9 de abril de ese año, el alto mando militar de Batista, conformado por los generales Francisco Tabernilla Dolz, jefe del Estado Mayor Conjunto, y Pedro A. Rodríguez Ávila, el mayor general Eulogio Cantillo Porras, jefe de la División de Infantería, y el coronel Manuel Ugalde Carrillo, a cargo de la zona de operaciones en Oriente, decidió llevar adelante una ofensiva contra el Ejército Rebelde en la Sierra Maestra, que dejaría atrás la estrategia contraguerrillera emprendida por el régimen desde principios de 1957. Ahora el ejército de Batista operaría con batallones de varios cientos de hombres, mejor armados y con mayor cobertura aérea, que intentarían neutralizar las columnas del Ejército Rebelde.

Para mayo de 1958, los guerrilleros contaban con varias columnas de entre 50 y 100 hombres, que en total no sumaban más de 400 soldados. Además de las columnas iniciales comandadas por Fidel Castro, con Camilo Cienfuegos en la vanguardia y Efigenio Ameijeiras en la retaguardia, se habían creado tres nuevas columnas, una al mando del Che Guevara al este del pico Turquino, en 1957, y otras dos, en marzo de 1958, encabezadas por Raúl Castro, quien abrió un segundo frente en la Sierra Cristal, y por Juan Almeida, que operó en las proximidades de Santiago de Cuba. La primera prueba de fuego de ese combate por columnas, que dejaba atrás la táctica de acoso y emboscadas a las tropas de Sánchez Mosquera y de asalto a pequeños cuarteles de la costa, tuvo lugar en la batalla de Pino del Agua, en febrero de 1958, que duró dos días y le infringió 25 bajas al ejército gubernamental.

Tras la victoria de Pino del Agua, los rebeldes llegaron a controlar, prácticamente, toda la franja sur de la provincia de Oriente y buena parte de la zona noreste de esa provincia. La ofensiva del ejército de Batista estuvo destinada a hostilizar esas posiciones, que para ser defendidas no podían recurrir a los métodos iniciales de la guerrilla sino a los del combate regular. Durante los primeros meses de la ofensiva, el ejército recuperó posesiones rebeldes como Las Mercedes, Minas de Bueycito, Las Vegas, buena parte de la costa sur y Santo Domingo. Gracias al desembarco de un importante refuerzo del batallón 18 por la zona de Las Cuevas y también por el río de La Plata, los soldados de Batista estuvieron a dos horas de tomar la comandancia de La Plata, centro del poder militar y político de los guerrilleros. Durante dos meses de ofensiva, el ejército fue desgastándose, mientras que los rebeldes se pertrechaban y organizaban para lanzar una contraofensiva eficaz.

Entre fines de junio y principios de julio, las columnas del Ejército Rebelde comenzaron a recuperar una a una las posiciones perdidas y a ganar el control de nuevas zonas cercanas a las ciudades orientales. Gracias a una expedición aérea, desde Costa Rica, del comandante Huber Matos, que aportó un importante cargamento de parque y armas, los rebeldes aumentaron su capacidad combativa. Las victorias de Santo Domingo, Jigüe, Vegas de Jibacoa, Jobal y, finalmente, Las Mercedes, entre julio y agosto de 1958, devolvieron a la guerrilla el control sobre la zona perdida y le aseguraron el dominio de todo el territorio ubicado al este del eje imaginario Manzanillo/Nicaro. Fue entonces cuando Fidel Castro decidió que había llegado el momento de mover sus tropas hacia Holguín, Camagüey y Las Villas, movilizando el centro de la isla y desconectando la parte oriental del Occidente capitalino. En agosto parten dos columnas invasoras hacia Las Villas, encabezadas por el Che Guevara, que avanzaría por el sur, y por Camilo Cienfuegos, que se movería más al norte.

En una alocución por Radio Rebelde, la emisora de los revolucionarios en la Sierra Maestra, Fidel Castro anunció, el 20 de agosto de 1958, el triunfo de la contraofensiva rebelde. El mensaje que enviaba a la población era que el Ejército Rebelde había salido fortalecido, ya que en cada combate se apropió del armamento del enemigo: cientos de fusiles, ametralladoras, bazucas, morteros, obuses y hasta algunos tanques de guerra. El mensaje de Castro era una invitación a la juventud oriental, sobre todo la de las montañas, a que se sumara al Ejército Rebelde que, dada su capacidad de fuego, podía crecer hasta varios miles de hombres. Ése fue el origen de un acelerado reclutamiento de jóvenes, sobre todo en las provincias orientales, que conformarían el contingente de cerca de 3 000 rebeldes que avanzó hacia la ciudad de La Habana en los meses siguientes.

Mientras Guevara y Cienfuegos se dirigían a Las Villas, los comandantes Huber Matos y Juan Almeida tendían un cerco definitivo sobre la ciudad de Santiago de Cuba. El ocaso de la legitimidad militar y política del régimen era perceptible ya en septiembre de 1958, cuando Castro inicia una interesante correspondencia con el general Eulogio Cantillo, uno de los jefes de la ofensiva batistiana. En una carta, Castro advertía al general que con el armamento ganado en el combate y con el control de buena parte de la producción azucarera y de 95% de la cafetalera en Oriente, el Ejército Rebelde podía sobrevivir cómodamente. La tropa gubernamental, en cambio, desmoralizada y temerosa del futuro se desarticulaba, como confirmaban la deserción masiva y el paso de contingentes enteros a los revolucionarios. En aquella carta, el jefe rebelde proponía al general batistiano un pacto en contra de una junta militar o de un gobierno civil elegido en la minoritaria contienda de 1958.

El escaso respaldo que esas elecciones generaban entre sectores de la sociedad civil y política de la isla era otro indicio de la crisis terminal de legitimidad del régimen. Los dos únicos políticos de la oposición con algún prestigio que decidieron apoyar el proceso electoral fueron Ramón Grau San Martín y Carlos Márquez Sterling. El grueso de la oposición "auténtica" y "ortodoxa", así como el Conjunto de Instituciones Cívicas, que reunía a cientos de asociaciones de la sociedad civil, encabezado por Miró Cardona, estaba, desde marzo del 58, a favor de la renuncia de Batista y de la instalación de un gobierno revolucionario provisional, encabezado por Manuel Urrutia. En octubre de ese año, mientras las tropas de Cienfuegos y Guevara llegaban a Las Villas, en la Sierra Maestra la dirigencia revolucionaria comenzaba a actuar como gobierno de la zona liberada. Un proyecto de reforma agraria, redactado por el comandante Humberto Sorí Marín, y otras leyes prohibiendo la participación en las elecciones y condenando la venta de armas inglesas a Batista fueron decretados ese mes.

El encuentro de las tropas de Guevara y Cienfuegos con las guerrillas del Escambray creaba algunas dificultades para la hegemonía política a que aspiraba la jefatura de la Sierra Maestra. En el Escambray había grupos guerrilleros vinculados con el Directorio Revolucionario, con distintas facciones del Partido Auténtico, con el Movimiento 26 de Julio y, en menor medida, con los comunistas del Partido Socialista Popular (PSP). Antes de la llegada de Guevara al Escambray, dos grupos guerrilleros, el del Segundo Frente, comandado por Eloy Gutiérrez Menoyo, Jesús Carreras, William Morgan y Armando Fleites, y el que encabezaba el jefe local del 26 de Julio, Víctor Bordón, estaban al borde de un choque interno. Cienfuegos, por su parte, incorporó a su columna a las tropas del comunista Félix Torres, que operaban en los llanos, a la espera de Guevara, quien llevaba órdenes de Castro de controlar todo el movimiento guerrillero central. En una carta de mediados de octubre de 1958, Castro decía a Cienfuegos:

El Che ha sido enviado a Las Villas para combatir al enemigo y mandar a las Fuerzas del Movimiento 26 de Julio, no con pretensiones de mandar a ningún otro grupo. Ahora bien, si desean la unión de las fuerzas que operan en esa provincia es lógico que el mando corresponda al Comandante más antiguo, al que haya demostrado más capacidad militar y organizativa, al que despierte más entusiasmo y confianza en el pueblo y esos requisitos, que reúnen el Che y tú, nadie se los podrá discutir, mucho menos después de la proeza singular de haber avanzado desde la Sierra Maestra hasta Las Villas con la oposición de miles de soldados enemigos. Yo no acepto ningún otro jefe que el Che, si las fuerzas llegan a un acuerdo. De no ser así, él debe asumir el mando de las fuerzas del Movimiento 26 de Julio y las que espontáneamente se les unan y proceder a cumplir nuestros planes estratégicos.

Detrás de aquellas fricciones había, naturalmente, una pugna por la hegemonía militar y política de la Revolución, pero también genuinas divergencias ideológicas, como las que habían marcado las relaciones entre la Sierra y el Llano desde 1957. De ahí que, como ha narrado Ramón Pérez Cabrera en su libro *De Palacio hasta Las Villas: en la senda del triunfo* (2006), la unidad de las fuerzas revolucionarias en el Escambray no haya estado libre de conflictos, como los que acompañaron el entendimiento entre Guevara y la dirigencia urbana del 26 de Julio, al mando de Enrique Oltuski, el grupo guerrillero de Gutiérrez Menoyo e, incluso, la tropa mejor organizada y armada del Directorio Revolucionario dirigida por Faure Chomón y Rolando Cubela. Estos líderes guerrilleros firmaron con Guevara el "Pacto de El Pedrero", en el que anunciaban que el territorio liberado de El Escambray había quedado repartido bajo la jurisdicción del 26 de Julio y el Directorio Revolucionario y que ambas organizaciones estaban coordinando sus acciones militares para la toma de Santa Clara y proyectos políticos concretos como la reforma agraria y el código civil.

Más complicado fue el entendimiento con la tropa de Gutiérrez Menoyo, debido a que la dirigencia urbana del 26 de Julio
había ordenado la subordinación de su propio grupo guerrillero,
el de Víctor Bordón, a ese jefe militar y político. Antes de la llegada de Guevara, Bordón había intentado independizarse, provocando un conflicto con Gutiérrez Menoyo. En su libro *Gente
del Llano* (2001), Enrique Oltuski, el coordinador del 26 de Julio
en Las Villas, cuenta con lujo de detalles sus muy distintos en-
cuentros con Guevara y Cienfuegos en el Escambray y Yaguajay.
Aunque ambos jefes reprochaban la falta de apoyo logístico del
Llano, el Che se mostraba más claramente favorable a ganar el
apoyo del PSP para la causa revolucionaria y desconfiaba de las
guerrillas de origen "auténtico", como la comandada por Gutiérrez Menoyo. Oltuski, en cambio, era de la opinión que el apor-
te de Gutiérrez Menoyo, por operar cerca de la ciudad de Cienfuegos y contar con apoyos en ese puerto, era decisivo para la
lucha contra la dictadura de Batista.

A pesar de las divisiones, la concentración de aquellos grupos guerrilleros en la zona central representó el mayor desafío
para el poder militar de la dictadura. Ahora el ejército de Batista
tenía que enfrentarse a dos frentes, uno en Oriente y otro en Las
Villas, que amenazaban con dominar ciudades fundamentales
para la vida económica y social de la isla como Santiago de Cuba,
Guantánamo, Holguín, Cienfuegos, Sancti Spíritus y Santa Clara. Antes de las Navidades, los rebeldes ya controlaban Fomento,
Placetas, Ranchuelo, Las Cruces y Sancti Spíritus, en el centro, y
Sagua de Tánamo y Mayarí, en Oriente. La toma de Santa Clara
y Santiago era inminente, aunque los rebeldes encontraron una
fuerte resistencia en Maffo, donde la batalla duró 20 días consecutivos. Los dos combates finales de la guerra revolucionaria
cubana tuvieron lugar en los últimos días de diciembre de 1958
en Santiago de Cuba y en Santa Clara, donde un tren blindado
que transportaba los últimos refuerzos de Batista fue descarrila-
do y tomado por los rebeldes.

El 28 de diciembre de 1958, Fidel Castro y el general Eulogio Cantillo, jefe del ejército, se reunieron en el Central Palma. Ambos jefes militares llevaban meses carteándose, apelando al honor militar, aunque el general actuaba bajo las órdenes de Batista. Los jefes revolucionarios consideraban a Cantillo un militar profesional, que se había conducido humanamente y que no había asesinado o torturado a campesinos partidarios de los rebeldes, como Casillas, Ugalde Carrillo, Sosa Blanco o Sánchez Mosquera. En aquella entrevista, Cantillo y Castro llegaron al acuerdo de unir las fuerzas de ambos ejércitos y tomar Santiago de Cuba, Santa Clara y La Habana, y evitar un golpe de Estado, una junta militar o una intervención extranjera. El acuerdo entre Castro y Cantillo contemplaba también que no se permitiría escapar a Batista y otros criminales de la dictadura. Cantillo tendría dos días para convencer a Batista del arreglo y, de conseguirlo, se reiniciarían las operaciones sobre Santiago de Cuba el 31 de diciembre.

En la madrugada de ese último día de 1958, Fulgencio Batista huyó en un avión que lo transportó a Santo Domingo. Castro ordenó a sus comandantes Camilo Cienfuegos y Ernesto Guevara avanzar rápidamente hacia La Habana y tomar los cuarteles de Columbia y La Cabaña. En Santiago de Cuba, el coronel Rego Rubido, luego de un intercambio epistolar con el jefe de la Revolución, entregó el mando a los rebeldes. Tras la huida de Batista, el poder civil de la nación había quedado en manos del presidente de la Suprema Corte, el magistrado Carlos Manuel Piedra, pero una junta militar, encabezada por Eulogio Cantillo y de la que formaban parte otros generales batistianos como Francisco Tabernilla, José Eleuterio Pedraza y Pedro Rodríguez Ávila, seguía al mando. Durante los primeros días de enero de 1959, los comandantes revolucionarios tomaron los principales centros del poder militar y político en La Habana y detuvieron a los miembros de la junta militar que no habían escapado, incluyendo a Cantillo, quien quedó como un traidor a los ojos de Castro y de Batista.

En sus primeros discursos y entrevistas, durante el traslado de Santiago de Cuba a La Habana, entre el 2 y el 8 de enero de 1959, Fidel Castro intentaría enfrentarse a algunos de los dilemas políticos de la Revolución en el poder: la diversidad y unidad de las fuerzas revolucionarias, la ideología básica del movimiento revolucionario, las relaciones del nuevo gobierno con Estados Unidos. En un discurso en Santiago de Cuba, por ejemplo, afirmó que la Revolución no era más que el mismo proyecto de soberanía e igualdad de José Martí, que se frustró en 1898 con la intervención norteamericana de ese año, y luego de 1933, por la traición a los ideales del movimiento antimachadista de ese año. A Jules Dubois declaró, sin embargo, que la Revolución quería las mejores relaciones con Estados Unidos. Sobre el problema de la unidad en la diversidad de la Revolución, la posición de Castro era favorable a la hegemonía de la jefatura de la Sierra Maestra:

> Al caerse la tiranía teníamos tomada todo Oriente, Camagüey, casi toda Las Villas, Matanzas y Pinar del Río. Terminó la lucha con las fuerzas que habían llegado a Las Villas, porque los rebeldes teníamos al comandante Camilo Cienfuegos y a nuestro comandante Guevara en Las Villas, el día 1° de enero a raíz de la traición de Cantillo. Camilo Cienfuegos tenía la orden de avanzar sobre la capital y atacar Columbia, porque tenía al comandante Ernesto Guevara en Las Villas, también con la orden de avanzar sobre la capital y apoderarse de La Cabaña, y toda fortaleza militar de importancia quedaba en poder de los rebeldes. Y por último, porque fue nuestro esfuerzo, experiencia y organización lo que nos hizo ganar.

Declaraciones como ésta eran recibidas por otros grupos revolucionarios como un intento de monopolizar el crédito de la Revolución, dando origen a las múltiples fracturas y disensiones que se producirían en los años siguientes. Eloy Gutiérrez Menoyo, por ejemplo, unió sus fuerzas a las de Guevara y Cienfuegos en la marcha hacia La Habana. Las tropas del Directorio Revolucionario, que también bajaban del Escambray al mando de Faure Chomón y Rolando Cubela, en cuanto llegaron a La Habana tomaron la Universidad y el Palacio Presidencial, dos recintos que simbolizaban la acción política y armada de esa organización contra la dictadura de Batista entre 1952 y 1958, y declararon que sólo los entregarían al nuevo gobierno y presidente legítimos. La historia de la Revolución en el poder empezaba siendo, en buena medida, la historia de la pugna por el crédito del triunfo revolucionario y por la orientación ideológica de un proyecto político plural.

PRIMER GOBIERNO REVOLUCIONARIO

Desde las últimas reuniones en la Sierra, en las que participaron los dirigentes civiles y militares de la Dirección Nacional del Movimiento 26 de Julio y el ya designado presidente provisional por el Conjunto de Instituciones Cívicas, Manuel Urrutia, Fidel Castro estableció que el rol de los comandantes revolucionarios en la nueva República no sería político o administrativo. Los jefes revolucionarios decían haber derrocado una dictadura para devolver al pueblo la soberanía nacional. El nuevo gobierno tenía el encargo de restablecer el orden constitucional, decretar el conjunto de leyes revolucionarias anunciadas en el programa del Moncada y convocar a elecciones legislativas y presidenciales. Ése era el mandato que había recibido, del Conjunto de Instituciones Cívicas, del Frente Cívico-Revolucionario y de los propios jefes militares de la Sierra Maestra, el juez Urrutia.

Urrutia había volado a la Sierra Maestra desde Caracas, en noviembre de 1958, con un nuevo cargamento de armas enviado por el presidente venezolano Wolfgang Larrazábal. Pocas semanas después llegaría otro cargamento venezolano, el más importante de cuantos recibió el Ejército Rebelde, agenciado por el teniente de navío de La Guaira, Carlos Alberto Taylhardat. Ya en la Sierra, el presidente fue instalado en La Rinconada, entre los pueblos de Jiguaní y Baire, donde tuvieron lugar las primeras reuniones regulares de Urrutia con los comandantes de la Revolución. Según relata Luis M. Buch Rodríguez, secretario de Urrutia, en su libro *Gobierno revolucionario cubano: génesis y primeros pasos* (1999), luego de un encuentro con el presidente y líderes civiles como Raúl Chibás y Roberto Agramonte, en el que se mencionaron nombres de algunos posibles ministros del gabinete, Raúl Castro, "sentado en un toconcito, con un fusil M-2 entre las piernas, dijo: 'Fidel, este hierro no lo suelto, me quedo en el Segundo Frente, porque con Urrutia y Agramonte ese gobierno no podrá avanzar por los caminos que debemos emprender'".

En los primeros días de enero de 1959, el presidente Urrutia tomó posesión de su cargo en el Ayuntamiento de Santiago de Cuba e instaló el primer gobierno revolucionario en la biblioteca de la Universidad de Oriente. El 6 de enero, en la tarde, el gobierno se trasladó al Palacio Presidencial, en La Habana, donde el Directorio Revolucionario cedió el control del edificio a la nueva autoridad institucional. Para entonces, el presidente había nombrado a casi todos los miembros de su gabinete. Uno de los primeros nombramientos de Urrutia, todavía en Santiago de Cuba, fue el de Fidel Castro como comandante en Jefe de las Fuerzas de Tierra, Mar y Aire del nuevo ejército cubano. El presidente anunció, también, el propósito de su gobierno de impugnar ante organismos internacionales como la ONU y la OEA las violaciones a los derechos humanos de regímenes aliados de la dictadura de Batista, como el de Trujillo en Santo Domingo, que protegía al dictador, Somoza en Nicaragua, Duvalier en Haití y Stroessner en Paraguay. La Revolución cubana llegaba al poder como parte de un movimiento democrático regional en contra de las dictaduras latinoamericanas.

La composición del primer gabinete revolucionario era claramente favorable a los líderes civiles de la oposición no electoralista y, también, a los dirigentes del Llano del Movimiento 26 de Julio. El primer ministro sería José Miró Cardona, quien desde el Colegio de Abogados, el Conjunto de Instituciones Cívicas y el Frente Cívico-Revolucionario había tenido un papel fundamental en el respaldo de "auténticos" y "ortodoxos" a la insurrección. Como ministro de Estado fue nombrado Roberto Agramonte, líder de la Ortodoxia y candidato de ese partido a las frustradas elecciones de 1952. Otros ministros como el de Hacienda, Rufo López Fresquet, o la de Bienestar Social, Elena Mederos, provenían del "autenticismo" y de las proximidades de la Sociedad de Amigos de la República y el Diálogo Cívico. Cuatro líderes de la clandestinidad habanera, Armando Hart, Faustino Pérez, Enrique Oltuski y Manuel Ray, fueron nombrados ministros de Educación, Bienes Malversados, Comunicaciones y Obras Públicas, respectivamente. Los dos comandantes de la Sierra que integraron el primer gobierno revolucionario, Luis Orlando Rodríguez, en Gobernación, y Humberto Sorí Marín, en Agricultura, no formaban parte del núcleo central de la dirección revolucionaria. El primer ministro de Comercio de la Revolución sería el economista Raúl Cepero Bonilla, quien había militado en el Partido Comunista, pero se había distanciado de esa organización en los años cuarenta.

El gabinete reflejaba la ideología moderada suscrita en los principales documentos programáticos de la Revolución: el Programa del Moncada (1953), *La historia me absolverá* (1954), los manifiestos del 26 de Julio y de la Sierra, el programa *Nuestra razón* y el Pacto de Caracas. Una ideología nacionalista democrática, no comunista, que aspiraba a la restauración del orden constitucional de 1940 y a la implementación de una serie de reformas económicas y sociales que reafirmarían la soberanía y la igualdad de la nación. El propio Fidel Castro había confirmado esa orientación ideológica en la serie de entrevistas que dio, desde la Sierra Maestra, a periodistas norteamericanos o latinoamericanos como Herbert Matthews, Homer Bigart, Ray Brennan, Jorge Ricardo Masetti, Carlos Bastidas, Manuel Camín y Carlos María Gutiérrez. La afiliación a una izquierda no comunista era un enunciado fundamental de la estrategia mediática de los líderes revolucionarios y un recurso clave para las alianzas latinoamericanas de la Revolución.

Cuando Fidel Castro hizo su entrada apoteósica en La Habana, el 8 de enero de 1959, ya el primer gobierno revolucionario estaba instalado en el Palacio Presidencial. Urrutia dio la bienvenida a Castro con estas palabras: "la democracia cubana se considera honrada con la presencia en el Palacio Presidencial del gran héroe en la lucha contra la tiranía". Urrutia presentaba a Castro y a los otros comandantes rebeldes como héroes, no como políticos, pero Castro comenzaría a hacer política desde ese mismo día, ya que en sus discursos en Palacio o en el cuartel Columbia, el líder comenzó el diálogo con el pueblo y se inició la conexión carismática que caracterizaría la política revolucionaria cubana durante décadas. Desde la entrada de Castro en La Habana, aquel 8 de enero, se manifestó el choque entre dos maneras de hacer política, la institucional y la fidelista, que en muy poco tiempo acabaría predominando.

El primer gobierno revolucionario, además de echar a andar las reformas sociales y económicas, restableció el orden constitucional de 1940 por medio de una Ley Fundamental, decretada el 7 de febrero de 1959. Este documento reproducía la legislación básica del texto del 40 en relación con la forma de gobierno, la nacionalidad, los derechos individuales, la familia, la cultura, el trabajo, la propiedad, el sufragio y los oficios públicos. Pero la Ley Fundamental introducía importantes modificaciones en el funcionamiento de los órganos del Estado y preservaba la codificación de la "excepción" o la "emergencia", propia de los Estatutos de Dolores de la dictadura de Batista, por medio de la suspensión de garantías constitucionales. Aunque reconocía el principio de la división de poderes, la Ley Fundamental concedía al Consejo de Ministros la autoridad legislativa.

Otra modificación importante de la Ley Fundamental tuvo que ver con la función del primer ministro. En el modelo semiparlamentario del 40 se establecía que "correspondía al primer ministro despachar con el presidente de la República los asuntos de la política general del gobierno". El artículo 146 de la Ley Fundamental de 1959, en cambio, quedó redactado de la siguiente manera: "corresponderá al primer ministro dirigir la política del gobierno y despachar con el presidente los asuntos administrativos y acompañado de los ministros los propios de los respectivos departamentos". Esta modificación amplificaría el parlamentarismo de la Constitución del 40, pero en un escenario de abandono del gobierno representativo que, en resumidas cuentas, concentraba el Poder Ejecutivo en el primer ministro, relegando al presidente a un rol simbólico o, en el mejor de los casos, moderador.

Asegura Luis M. Buch, en sus memorias de aquellos años, que la redacción del artículo 146, que concedía al primer ministro la potestad de "dirigir la política general del gobierno", fue una condición que puso Fidel Castro para aceptar ese cargo, luego de la renuncia de Miró Cardona. Sin embargo, la renuncia de Miró Cardona se verificó el 14 de febrero, una semana después de promulgada la Ley Fundamental, y la toma de posesión de Castro, como primer ministro, tuvo lugar el 16 de febrero. No es improbable que la idea de reforzar el papel del primer ministro, conforme al modelo semiparlamentario del 40 aunque sin una nueva representación constituida, también fuera deseada por el propio Miró Cardona, que por lo visto tuvo algunas diferencias con Urrutia que ralentizaron el gobierno, y por otros ministros, como Oltuski, Ray, Hart o Pérez, interesados en avanzar a mayor velocidad por el camino de las reformas.

Además de la ausencia de Poder Legislativo y del reforzamiento del cargo de primer ministro, la Ley Fundamental resultaba inaplicable en algunos de sus títulos y secciones por leyes y decretos adoptados por el gobierno revolucionario en sus primeros meses. Por ejemplo, un decreto que autorizaba al gobierno a aplicar la Ley Penal de Cuba en Armas, de las guerras de Independencia, para castigar delitos de agentes militares o políticos de la dictadura, desactivaba todo el título XII dedicado a la autonomía del Poder Judicial, el Tribunal Supremo de Justicia y el Tribunal de Garantías Constitucionales y Sociales. La postergación indefinida de las elecciones invalidaba, a su vez, la sección referida al Tribunal Superior Electoral, y la reforma de las autoridades provinciales y locales, impulsada por el ministro de Gobernación Luis Orlando Rodríguez, suprimió en la práctica las alcaldías municipales y se desentendió de todo el articulado consagrado al "régimen municipal".

Al ocupar Fidel Castro el cargo de primer ministro, Raúl Castro pasó a ser comandante en Jefe de las Fuerzas Armadas, mientras que la Jefatura del Estado Mayor del Ejército, que hasta entonces ostentaba el coronel batistiano José M. Rego Rubido, que había unido sus tropas a los rebeldes en la toma de Santiago de Cuba, fue ocupada por el comandante Camilo Cienfuegos. Con el control militar asegurado, la dirigencia revolucionaria se dio a la tarea de implementar las medidas anunciadas en el Programa del Moncada. Mientras Camilo Cienfuegos disolvía los aparatos represivos del antiguo régimen —el Servicio de Inteligencia Militar (SIM), el Buró de Represión de Actividades Comunistas (BRAC), el Buró de Investigaciones—, los ministros de Comunicación, Transporte, Obras Públicas y Bienes Malversados, Enrique Oltuski, Julio Camacho Aguilera, Manuel Ray y Faustino Pérez, intervenían la Cuban Telephone Company, la Compañía Cubana de Aviación, el Banco de Colonos y las residencias abandonadas por los primeros exiliados en los barrios altos de Miramar, Country Club, Biltmore y Nuevo Vedado. Una de las primeras leyes revolucionarias fue la Ley de Alquileres de marzo de 1959, que rebajó las rentas un 50 por ciento.

Un flanco de primeras disensiones en el gabinete revolucionario tuvo que ver con los tribunales de guerra y el procesamiento irregular de torturadores y criminales del viejo régimen. Una parte de la opinión pública nacional y occidental había comenzado a denunciar los fusilamientos de desertores o criminales en la Sierra Maestra desde 1957. Ahora importantes periódicos, como The New York Times, se hacían eco de noticias sobre fusilamientos indiscriminados por órdenes de Raúl Castro en Santiago de Cuba y del Che Guevara en la fortaleza de La Cabaña. Un sonado juicio contra pilotos del Ejército Nacional, que habían participado en acciones aéreas contra los rebeldes en la Sierra Maestra, había fallado por la absolución, pero Fidel Castro, personalmente, revocó el fallo y ordenó realizar otro juicio, en el que actuó como fiscal el ministro de Defensa Nacional, Augusto Martínez Sánchez. Los pilotos fueron condenados a 30 años de prisión y trabajos forzados, provocando el suicidio del primer presidente del tribunal, Félix Lugerio Pena, y la detención y el hostigamiento del abogado defensor, el capitán Arístides d'Acosta.

Varios miembros del primer gabinete, como el presidente Urrutia, el primer ministro Miró Cardona y el ministro de Justicia Ángel Fernández Rodríguez, eran abogados y jueces. Las renuncias de los últimos en febrero de 1959 tuvieron que ver, en buena medida, con el malestar que les provocaba la suspensión del *habeas corpus*, los tribunales de guerra y la posposición de elecciones. En abril de 1959, Castro viajó a Washington y a Nueva York, invitado por la Sociedad de Editores de Periódicos de ese país. Luego de ese viaje hizo otro a países americanos —ya había visitado Venezuela, en enero, donde agradeció al gobierno de Rómulo Betancourt el apoyo que brindó a la lucha contra Batista—, que lo llevó a Río de Janeiro, Buenos Aires y Montevideo. En todos esos viajes, la prensa le preguntó insistentemente al líder revolucionario si era comunista y si se celebrarían elecciones. Las respuestas de Castro a la primera pregunta eran vehementes —"no, no era comunista sino humanista", su "revolución no era roja, sino verde olivo", no quería "libertad sin pan ni pan sin libertad"—, pero vagas ante la segunda: se celebrarían elecciones después de que fueran erradicados el analfabetismo y el desempleo.

El primer ministro había estado fuera de la isla cerca de 20 días. A su regreso, el 4 de mayo, fue recibido en el aeropuerto nacional José Martí, por el embajador de Estados Unidos, Phillip Bonsal. Pero ya para entonces la presión de un sector de la opinión pública contra la tendencia comunista dentro del liderazgo de la Revolución comenzaba a manifestarse con mayor claridad. Los dos discursos pronunciados en las marchas por el Primero de Mayo, en La Habana y Santiago de Cuba, habían corrido a cargo de Raúl Castro y Ernesto Guevara, dos comandantes que se asumían como comunistas desde los debates ideológicos de la Sierra Maestra. En ambos discursos, Castro y Guevara presentaron la Revolución cubana como un "movimiento de obreros y campesinos" y sostuvieron que con la reforma agraria comenzaba, en estricto sentido, la legislación revolucionaria.

Es en ese contexto que se explica una nueva declaración anticomunista de Fidel Castro, el 8 de mayo, y los ataques a Blas Roca y al viejo partido comunista por parte de algunos editorialistas del periódico *Revolución*, dirigido por Carlos Franqui. En contra del sentido socialista que intentaban atribuirle el Che Guevara y Raúl Castro, la Ley de Reforma Agraria firmada por el presidente Urrutia el 17 de mayo de 1959, en la Comandancia de La Plata, era moderada. Antonio Núñez Jiménez, Luis M. Buch y otros historiadores cubanos sostienen que el documento que firmó Urrutia no fue el que el gobierno revolucionario encargó al ministro de Agricultura, Humberto Sorí Marín, quien había firmado con Castro, en octubre de 1958, la Ley N° 3 de la Sierra Maestra que buscaba convertir en propietarios a todos los arrendatarios, subarrendatarios, aparceros, colonos, subcolonos y precaristas, tal como se prometía en *La historia me absolverá* y otros documentos programáticos del Movimiento 26 de Julio.

Según Núñez Jiménez y Buch, el documento firmado el 17 de mayo en la Sierra Maestra había sido elaborado por un grupo paralelo al gobierno revolucionario, que se reunía en la casa del Che Guevara en la playa de Tarará, al que pertenecían, además de Castro, Guevara y Núñez Jiménez, Oscar Pino Santos, Segundo Ceballos Parejas, Vilma Espín y Alfredo Guevara. Sin embargo, algunos pasajes de aquella ley estaban copiados literalmente de la Ley de la Sierra, redactada por Sorí Marín, y, en general, su espíritu remitía al canon de la reforma agraria estipulado por

Naciones Unidas, ligado a la proscripción del latifundio establecida por la Constitución de 1940 y la Ley Fundamental de 1959. Conforme a ese perfil moderado, la Ley de la Reforma Agraria citaba el Censo Agrícola de 1946 para denunciar que 1.5% de los propietarios poseía 46% de la tierra, por lo que era preciso redistribuir toda la propiedad privada que rebasara las 30 caballerías de tierra, exceptuando, naturalmente, las zonas azucareras, ganaderas, arroceras y de cultivos varios.

El concepto de reforma agraria aplicado en mayo de 1959 no sólo estaba en sintonía con las políticas económicas que recomendaban la ONU, la CEPAL y otros organismos internacionales, sino con las ideas del propio gabinete revolucionario: el ministro de Agricultura, Humberto Sorí Marín, el de Comercio, Raúl Cepero Bonilla, el de Hacienda, Rufo Lopez Fresquet, y el encargado del Consejo Nacional de Economía, Regino Boti León, quien había escrito con Felipe Pazos el programa económico del Movimiento 26 de Julio. Además de conceder títulos de propiedad a la mayoría de los campesinos, en forma de tenencia pequeña y mediana de la tierra, la ley reguló los mecanismos de redistribución e indemnización de propietarios confiscados y alentó la creación del Instituto Nacional de Reforma Agraria (INRA), las Zonas de Desarrollo Agrario (ZDA), cooperativas, Tribunales de la Tierra y políticas de conservación de bosques y suelos.

Aunque la reforma agraria no implicaba un proyecto de estatización de la propiedad territorial, como el de la colectivización soviética, el INRA se convirtió muy pronto en un organismo con una dirección predominantemente socialista. Fidel Castro fue nombrado presidente del INRA y el geógrafo Antonio Núñez Jiménez, director ejecutivo, nucleando a su alrededor al equipo que se reunía en la casa de Guevara en Tarará. Los conflictos entre ese grupo y el gabinete no tardaron en estallar. El presidente Urrutia, que al decir de su secretario, Luis M. Buch, comenzaba a sentirse marginado del poder, decidió incrementar sus intervenciones públicas e hizo insistentes declaraciones en contra de la incorporación de comunistas en el gobierno. Las declaraciones de Urrutia coincidieron con la nota diplomática del Departamento de Estado de Estados Unidos sobre la reforma agraria, que reconocía el derecho a la expropiación por utilidad pública que asistía al gobierno cubano, pero recordaba la importancia de hacer las indemnizaciones correspondientes.

Ya a fines de junio, cuando el jefe de la Fuerza Aérea, Pedro Luis Díaz Lanz, deserta y se refugia en Estados Unidos, denunciando un gran plan de infiltración de comunistas en el gobierno de la isla, Castro y Urrutia estaban enfrascados en un careo de declaraciones públicas sobre el comunismo. Castro decidió entonces golpear a Urrutia y a las corrientes más moderadas del gobierno por medio de la primera crisis ministerial. En una sesión del Consejo de Ministros, el primer ministro pidió la destitución del ministro de Agricultura, Humberto Sorí Marín, que se oponía a la duplicación de funciones que el INRA imponía a su cartera, pero también de los titulares de Gobernación, Luis Orlando Rodríguez, de la Salubridad y Asistencia Social, Julio Martínez Páez, de Bienestar Social, Elena Mederos, y hasta del canciller Roberto Agramonte. En cada uno de esos puestos, Castro ubicó a políticos de su confianza: Pedro Miret Prieto sería el nuevo ministro de Agricultura, José Alberto Naranjo el de Gobernación, Raquel Pérez González la de Bienestar Social, Serafín Ruiz de Zárate se encargaría de Salubridad y el conocido intelectual de izquierdas, Raúl Roa, sería el nuevo canciller.

Es muy probable que Castro esperara la renuncia de Urrutia, luego de la remoción de algunos de los ministros más moderados y afines al mandatario, pero el presidente no parecía interesado en renunciar y seguía interviniendo en la opinión pública de la isla, llamando la atención sobre una conjura comunista. En dos entrevistas concedidas al programa de televisión de Luis Conte Agüero, en la CMQ, el presidente se refirió a la fuga de Díaz Lanz, lamentando su deserción sin negar que existiera una real amenaza comunista, lo cual refutaba Castro en cada una de

sus comparecencias. El presidente se había opuesto enérgica-
mente a la designación de algunos gobernadores provinciales,
como Calixto Morales en Las Villas, que tenían respaldo de los
comunistas. Al decir de Luis M. Buch, otra incomodidad del
presidente era su rechazo a la pena de muerte, ya que el mandatario se demoró en firmar el decreto que reformaba el artículo 25
de la Ley Fundamental que, como la Constitución del 40, establecía que no "podía imponerse la pena capital". Fue entonces
que Castro apeló al recurso extremo de renunciar él mismo al
cargo de primer ministro, por desavenencias con el presidente,
en una larga alocución televisiva, la noche del 16 de julio, en la
que acusó a Urrutia de corrupción y deslealtad.

Con la enorme popularidad de Fidel Castro en su contra, el
presidente Urrutia renunció a la mañana siguiente y pidió asilo
en la Embajada de México, donde residiría varios años antes de
salir del país. Osvaldo Dorticós, hasta entonces ministro encargado de la Ponencia y Estudio de las Leyes Revolucionarias, fue
designado presidente y Fidel Castro aprovechó la gigantesca
celebración del primer aniversario del asalto al cuartel Moncada, luego del triunfo revolucionario, en la Plaza Cívica, para rea-
sumir el cargo de primer ministro. Fue en aquel discurso y en
aquella plaza, muy pronto rebautizada como Plaza de la Revolución, donde Fidel Castro estrenó un tipo de diálogo con el pueblo, por medio de reiteradas preguntas desde la tribuna, que
eran respondidas, a coro, con un "sí", un "no" u otros monosíla-
bos, que se volvería una seña de identidad de su comunicación
con el público.

En sus memorias, *Democracia falsa y falso socialismo* (1975),
Manuel Urrutia reconstruye la paradoja que se abrió tras su renuncia en la segunda mitad de 1959. Los líderes de la Revolución, especialmente Fidel Castro, insistían en que el proyecto
revolucionario no era comunista y hasta consideraban "contra-
rrevolucionario" a quien calificara al gobierno de "comunista".
Pero, a la vez, encarcelaban y a veces ejecutaban a todo aquel

funcionario, jefe civil o militar que se asumiera públicamente como anticomunista o denunciara la incorporación de comunistas a alguna rama del gobierno. Por debajo de esa fractura de las élites se vivía, en cambio, un impresionante aumento del respaldo popular a la Revolución, como se vio con la marcha a La Habana de decenas de miles de campesinos beneficiados por la reforma agraria, el 26 de julio, o con la masiva incorporación de jóvenes obreros y estudiantes a las Milicias Nacionales Revolucionarias. La querella sobre el comunismo crecía de tono, ya que simpatizantes y partidarios de esa corriente se enfrentaban en diversas organizaciones sociales. En las elecciones de la Federación de Estudiantes Universitarios, el ex líder del Directorio Revolucionario Rolando Cubela, venció a su rival Pedro Luis Boitel, un católico anticomunista que luego moriría en una huelga de hambre en la cárcel. En el X Congreso de la Confederación de Trabajadores de Cuba chocan los líderes sindicales comunistas y democráticos y, aunque estos últimos ganan la secretaría general, con David Salvador, los primeros ganan posiciones en la dirección nacional. En los últimos meses de ese año, una segunda crisis ministerial es provocada por el dilema de si el gobierno revolucionario es comunista o admite a comunistas en las distintas ramas de la administración civil, sin compartir plenamente su ideología. Luego de redactar una carta de renuncia a Fidel Castro, en protesta por el creciente número de comunistas en cargos públicos en el Estado, el comandante Huber Matos, jefe militar de Camagüey, es arrestado y condenado a 20 años de cárcel después de un juicio en el que Fidel Castro, en calidad de testigo, lo acusa de traición.

Los debates en torno al juicio y la condena de Matos, dentro del gobierno revolucionario, provocaron una segunda crisis ministerial en noviembre de 1959, que abrió las puertas a la creación de un nuevo gobierno revolucionario en los primeros meses de 1960. En una sesión del gabinete, encabezada por Castro, a la que ya asistieron Raúl Castro, como ministro de las Fuerzas

Armadas Revolucionarias, el ministro de Bienes Malversados y líder histórico del Llano Faustino Pérez, y el de Obras Públicas, también figura clave de la clandestinidad en La Habana durante los días de la huelga del 9 de abril, el ingeniero Manuel Ray, defendieron el papel de Matos en la Revolución, especialmente en el traslado de un refuerzo decisivo desde Costa Rica y argumentaron que no merecía la pena imputada. Por expresar esa opinión en el Consejo de Ministros, Pérez y Ray fueron sustituidos por Rolando Díaz Aztaraín y Osmany Cienfuegos, respectivamente. En esa misma reestructuración del gabinete fue desplazado de la presidencia del Banco Nacional de Cuba el economista Felipe Pazos, un ex "auténtico" que se había sumado a la Revolución desde 1957 y que había redactado, junto con Regino Boti, el programa económico del Movimiento 26 Julio, por Ernesto Che Guevara, quien era, además, director del proyecto de industrialización agraria del INRA.

Durante los meses que van de la captura y juicio de Matos al reajuste final del gabinete, se produjeron dos hechos que afianzaron la situación de duelo permanente generado por el cambio revolucionario. Luego de arrestar a Matos, la avioneta Cessna en la que viajaba el comandante Camilo Cienfuegos desapareció sin dejar rastro en la costa norte de Camagüey. La desaparición del comandante más popular de la Revolución, después de Fidel Castro, en medio del debate sobre el comunismo, desató toda suerte de rumores y leyendas que persisten hasta hoy. Pocos meses después estalló en la bahía de La Habana el carguero francés *La Coubre*, que transportaba armas y explosivos para el ejército cubano, dejando un saldo de más de 100 civiles muertos y cerca de 400 heridos en la zona del puerto. El gobierno revolucionario responsabilizó a Estados Unidos y a la CIA por el atentado, dando inicio el escalamiento del conflicto entre ambos países.

Para principios de 1960, con varios ministros abiertamente favorables al comunismo, como el Che Guevara, Raúl Castro y Osmany Cienfuegos, un nuevo gobierno parecía vertebrarse en

La Habana. El "último de los conservadores", como luego escribirá Luis M. Buch, Rufo López Fresquet, otro economista proveniente del autenticismo, fue desplazado por Díaz Aztaraín en el Ministerio de Hacienda, transformándose la antigua cartera de Bienes Malversados, que dirigía Faustino Pérez, en una dirección de ese ministerio. Otro cambio ministerial, el de Serafín Ruiz Zárate por José Ramón Machado Ventura en Salud Pública, colocaba a otro hombre de toda la confianza de Fidel y Raúl Castro en un ministerio estratégico de la Revolución. Finalmente, la salida del gabinete de Enrique Oltuski, por las divisiones que varios dirigentes comunistas estaban generando dentro del Ministerio de Comunicaciones, privó al gobierno revolucionario, tal vez, de la única voz moderada que podía hacer alguna resistencia al ascendente jacobinismo.

SEGUNDO GOBIERNO REVOLUCIONARIO

El año 1960 fue el punto de arranque de la radicalización comunista emprendida por el segundo gobierno revolucionario. Sin abogados ni demócratas que llamaran a restaurar el estado de derecho o a convocar elecciones, y con una legislación *ad hoc* que permitía reprimir la contrarrevolución por medio de los Tribunales Revolucionarios —según cálculos imprecisos, en diciembre de 1959 se habían realizado 553 ejecuciones, mientras que en noviembre del año siguiente la cifra había ascendido a más de 1 330, en su mayoría ya no de batistianos sino de revolucionarios anticomunistas—, el poder revolucionario entraba en una fase de consolidación. El año 1960 fue llamado "de la Reforma Agraria", pero su tónica fue la de la expansión del control estatal de la economía cubana por medio de un agresivo paquete de confiscaciones y nacionalizaciones, de la reorientación del comercio exterior y las relaciones diplomáticas con la URSS, China y el campo socialista, de la neutralización de la naciente oposición interna y del dominio de la esfera pública.

Tres de las primeras medidas de aquel año fueron la creación de la Junta Central de Planificación, la promulgación de las leyes del Primer Censo Laboral y la cesión del 4% del salario de todos los obreros sindicalizados en la Confederación de Trabajadores de Cuba al programa de industrialización del país. Esta ofensiva en la legislación obrera, impulsada por el ministro del Trabajo Augusto Martínez Sánchez, un comandante del 26 de Julio que se acercó al comunismo, fue la antesala de una eficaz alianza del nuevo gobierno revolucionario, pacientemente fraguada desde los años de la Sierra Maestra, con la dirigencia del Partido Socialista Popular (PSP), que logró la sustitución de David Salvador por el veterano dirigente comunista Lázaro Peña, al frente de la Central de Trabajadores de Cuba. Más o menos al mismo tiempo que Peña controlaba la única central sindical, se creaban otras asociaciones de capital importancia para la transición socialista en los años siguientes, la Asociación Nacional de Agricultores Pequeños (ANAP), que reunió a la gran masa de pequeños propietarios del campo, y las Escuelas de Instrucción Revolucionaria, medio de transmisión de la ideología marxista-leninista encabezado por el líder comunista Lionel Soto.

Las nacionalizaciones del verano de 1960 respondieron a un plan tan minucioso como certero. Primero, el Consejo de Ministros autorizó, en julio de 1960, al gobierno revolucionario para nacionalizar empresas y bienes de ciudadanos norteamericanos por vía de "expropiación forzosa". Con esa medida, los dirigentes cubanos se colocaban fuera de la lógica bilateral del reclamo por indemnizaciones, que había caracterizado el debate con la administración Eisenhower luego de la reforma agraria. Pocas semanas después, el 6 de agosto de 1960, se decretaba la nacionalización de 26 empresas de servicios públicos y de centrales azucareras, propiedad de entidades norteamericanas. Además de la Esso Standard Oil y la United Fruit Sugar Company, fueron estatizadas, sin indemnización, la Compañía Cubana de Electricidad y la Cuban Telephone Company.

Al ritmo de una gran confiscación por mes, en septiembre de 1960 el gobierno revolucionario resolvió la nacionalización de toda la banca norteamericana, incluidas las sucursales y agencias de The First National City Bank of New York, The First National City Bank of Boston y The Chase Manhattan Bank. El 13 de octubre del mismo año vendría el golpe final de ese primer ciclo de nacionalizaciones: la expropiación forzosa de 105 ingenios azucareros, 18 destilerías, seis compañías de bebidas alcohólicas, las principales empresas de jabones y perfumes, derivados lácteos, fábricas de chocolates, molinos de harina, productoras y distribuidoras de envases, pinturas, químicos, metalurgia básica, papelerías, lámparas, 61 empresas de textiles y confecciones, 16 molinos de arroz, 47 almacenes de víveres, varias productoras de alimentos, tostaderos de café, droguerías, las principales tiendas departamentales, ocho empresas de ferrocarriles, las imprentas, los cines, las constructoras, medianas y pequeñas compañías de electricidad y 13 operadoras marítimas y portuarias.

Todavía a fines de octubre de 1960, el gobierno revolucionario anunció otra ronda de nacionalización de empresas mercantiles e industriales norteamericanas, que enajenó varios molinos de harina y arroz, fábricas de envases, 17 empresas químicas, ocho de metalurgia básica, papelerías, confeccionadoras de lámparas, textiles, productos alimenticios, almacenes de víveres, droguerías, tiendas departamentales, empresas de ferrocarril, imprentas, constructoras, compañías de electricidad, navieras, máquinas de coser, financiamiento de autos, comisiones y representaciones de productos extranjeros, agencias de pasajes y fletes, fincas agropecuarias, mueblerías, colchonerías y tintorerías. A este último paquete de nacionalizaciones se agregaron 30 compañías de seguros, 15 de maquinaria agrícola e industrial, motores, equipos, autos, accesorios y repuestos, más seis empresas de exportación, importación y distribución de tabaco y 11 hoteles, casinos, bares y cafeterías.

En menos de dos meses, el gobierno revolucionario confiscó cerca de 550 empresas nacionales y norteamericanas. La decisión de proceder a ese enorme traspaso de propiedades a manos del Estado no estaba contemplada en ninguno de los programas políticos del Movimiento 26 Julio o de cualquier otra organización antibatistiana. En *Nuestra razón* (1957), el programa de Mario Llerena que recogió las ideas del proyecto económico de Felipe Pazos y Regino Boti, se hablaba de una "nacionalización eficaz de las compañías de servicios públicos", pero muchas de las empresas confiscadas no eran propiamente de "servicios públicos", sino de compra y venta de productos básicos que, al pasar a manos del Estado, debían producir una reestructuración económica y social del país.

Otro paso en la dirección de un rediseño de la estructura de clases y del quiebre del sistema de propiedad fue la muy popular Ley de Reforma Urbana del 14 de octubre de 1960, firmada por todo el gabinete en Palacio Presidencial. El documento, redactado por el presidente Dorticós, establecía el "derecho de toda familia a una vivienda decorosa", para lo cual "prescribía el arrendamiento de inmuebles urbanos y cualquier otro negocio o contrato que implique la cesión del uso total o parcial" de una casa o edificio. Con la limitación de una vivienda por familia y la transformación de los arrendatarios en propietarios, de un modo similar a la reforma agraria se daba un golpe demoledor al mercado inmobiliario y, a la vez, se estatizaba, en la práctica, la propiedad urbana.

Un proyecto político como el que delineaban estas reformas debió responder, naturalmente, a una radicalización ideológica del gobierno revolucionario a favor de una vía anticapitalista e, incluso, marxista-leninista de organización social. Pero tampoco debe olvidarse que el contexto en el que la dirigencia revolucionaria, especialmente el primer ministro Fidel Castro, el presidente Osvaldo Dorticós y el gabinete económico (Che Guevara, Rolando Díaz Aztaraín, Raúl Cepero Bonilla, Regino Boti y Augusto Martínez Sánchez, el ministro del Trabajo), eligió esa ruta estuvo fuertemente enmarcado en el creciente diferendo con Estados Unidos. La Ley número 851, por la que el Consejo de Ministros autorizó al gobierno revolucionario a nacionalizar empresas y bienes de ciudadanos norteamericanos por "expropiación forzosa", es decir, sin indemnización, es del 6 de julio de 1960, al día siguiente que el presidente Eisenhower redujera en unas 700 000 toneladas la cuota azucarera que Estados Unidos compraba a Cuba.

La decisión de Eisenhower, como es sabido, estuvo motivada por las nacionalizaciones que el gobierno revolucionario hizo de las refinerías norteamericanas Texaco y Esso a fines de junio, por haberse negado éstas, como era natural en la Guerra Fría, a la propuesta de Fidel Castro de refinar crudo soviético. La secuencia de golpes y contragolpes entre ambos gobiernos, por las refinerías y la cuota azucarera, era resultado de la ascendente tensión diplomática que se vivía desde la visita a La Habana, en febrero de 1960, de una alta delegación soviética encabezada por el canciller Anastas I. Mikoyan, quien, además de inaugurar una gran Exposición Soviética de Ciencia, Técnica y Cultura, firmó con Castro un jugoso convenio de "intercambio comercial y pagos", por el cual Moscú se comprometía a adquirir 425 000 toneladas de azúcar —además de las 575 000 compradas el año anterior— y un millón de toneladas anuales, entre 1960 y 1965. Además, en el mismo convenio los soviéticos acordaban la concesión de un crédito por una suma equivalente a los 100 millones de dólares en el mismo quinquenio.

El gobierno de Eisenhower que, a pesar de la hostilización al régimen de la isla que ya operaban pequeños grupos exiliados desde territorio norteamericano, había tenido un intercambio de notas diplomáticas con el presidente Dorticós y el canciller Roa en enero de 1960 y había intentado un par de gestiones para mejorar las relaciones con la isla —una mediante el embajador argentino en La Habana, Julio Amoedo, y otra por medio del ministro de Hacienda, Rufo López Fresquet, antes de su renuncia— reaccionó violentamente contra el convenio cubano-soviético. En una reunión con su gabinete de seguridad, a mediados de marzo de 1960, el presidente de Estados Unidos ordenó al director de la CIA, Allen Dulles, que iniciara la preparación de una fuerza armada de cubanos exiliados que, en coordinación con los grupos opositores que comenzaban a conspirar en la isla, hiciera estallar una guerra civil en contra de la deriva comunista y a favor de la democracia representativa.

Cuando Castro abraza a Nikita Jrushov en Nueva York, en la Asamblea General de Naciones Unidas, o incluso antes, cuando la delegación cubana, encabezada por Raúl Roa, se retira de la reunión de la OEA, en San José de Costa Rica, por las denuncias que hacen las delegaciones latinoamericanas sobre la injerencia soviética en la isla, los líderes revolucionarios parecen decididos a quemar las naves y a acelerar la transición socialista. Ya para entonces, el gobierno cubano ha establecido relaciones y convenios diplomáticos y comerciales con China, Viet Nam, Polonia, Checoslovaquia, Hungría, Bulgaria y otros países de Europa del Este, a donde han viajado Raúl Castro, el Che Guevara y Antonio Núñez Jiménez. En la *Declaración de La Habana*, la réplica que Fidel Castro lanzó a la Declaración de San José, en la OEA, ante una gigantesca multitud enardecida, la ideología de la Revolución no se presentaba aún como socialista o marxista-leninista, pero sí decidida a quebrar las reglas del juego de la Guerra Fría. En un abierto desafío al paradigma geopolítico del sistema americano, la *Declaración de La Habana* afirmaba:

La Asamblea General del Pueblo declara que la ayuda espontáneamente ofrecida por la Unión Soviética en caso de que nuestro país fuera atacado por fuerzas militares imperialistas, no podrá ser considerado jamás un acto de intromisión, sino que constituye un evidente acto de solidaridad y que esa ayuda, brindada a Cuba ante un inminente ataque del Pentágono yanqui, honra tanto al Gobierno de la Unión Soviética que la ofrece, como deshonran al Gobierno de los Estados Unidos sus cobardes agresiones contra Cuba. Por tanto, la Asamblea General del Pueblo declara ante América y el Mundo, que acepta y agradece el apoyo de los cohetes de la Unión Soviética si su territorio fuere invadido por fuerzas militares de los Estados Unidos.

El escenario de la crisis de los misiles, que tendría lugar dos años después, ya estaba dibujado en aquella alocución de Fidel Castro, aplaudida por decenas de seguidores arrobados en la

Plaza de la Revolución. La radicalización comunista del gobierno revolucionario se escenificaba, por tanto, en una coyuntura de confrontación con Estados Unidos que justificaba, a los ojos de aquellas mayorías populares, las decisiones de sus líderes. La impresionante movilización popular que, por medio de viejas o nuevas organizaciones como la Confederación de Trabajadores de Cuba (CTC), las Milicias Nacionales Revolucionarias (MNR), los Comités de Defensa de la Revolución (CDR), la Federación de Mujeres Cubanas (FMC) o la Asociación Nacional de Agricultores Pequeños (ANAP), facilitó aquella comunicación magnética de la dirigencia revolucionaria y, especialmente, de Fidel Castro con las masas.

La conexión directa con el pueblo era una forma de rechazar definitivamente el gobierno representativo y la convocatoria a elecciones. En otro acto multitudinario, el Primero de Mayo, Castro había declarado, con una interrogación: "¿elecciones, para qué?". En otro momento del discurso defendió una "democracia real, directa e inobjetable", basada "en la íntima unión e identificación entre pueblo y gobierno", que fascinó a Jean-Paul Sartre, de visita en La Habana. Desde los primeros meses de 1960, a medida que el giro al comunismo se hacía perceptible, buena parte de los medios masivos de comunicación heredados de la República, que habían sido decisivos para el ascenso de Castro al poder, como las estaciones radiales y canales televisivos de la CMQ y periódicos como *Diario de la Marina, Prensa Libre, Bohemia, Carteles, Variedades* o *Avance* se desplazaban a la oposición. Para el verano de 1960, todos esos medios habían sido neutralizados o intervenidos por el gobierno revolucionario.

Junto con la opinión pública republicana, otros sectores de la sociedad como la Iglesia católica, lo que quedaba de la clase política "ortodoxa", "auténtica" y sectores revolucionarios moderados, escindidos del poder revolucionario, comenzaron a conspirar contra el gobierno. En la ciudad de México se dio a conocer el Frente Revolucionario Democrático, en junio de 1960, al que

inicialmente pertenecieron Carlos Prío Socarrás, Manuel Antonio
de Varona, Manuel Artime, José Ignacio Rasco, Aureliano Sánchez Arango y Justo Carrillo. Poco después, el ex primer ministro del gobierno revolucionario, José Miró Cardona, pidió asilo
político en la Embajada de Argentina, Raúl Chibás, hermano del
líder "ortodoxo" a quien siguiera Castro en su juventud, se fugó
en lancha hacia Miami y otro miembro del primer gabinete, Manuel Ray, fundaba en La Habana la organización clandestina opositora, Movimiento Revolucionario del Pueblo (MRP).

Aquel año 1960, que marcaría el parteaguas de la historia
contemporánea de Cuba, terminó con varias cartas pastorales de
los obispos de la Iglesia católica, rechazando la evolución comunista de la dirigencia cubana, el retiro a Washington del embajador Phillip Bonsal, la ruptura de las relaciones diplomáticas entre Estados Unidos y Cuba y una serie de arrestos de opositores,
entre los que se encontraba el ex dirigente sindical del primer
año de la Revolución, David Salvador, quien fue condenado a 30
años de cárcel por un tribunal de guerra. A medida que se con-
gelaban los vínculos con Estados Unidos, justo en los meses
del traspaso de poderes entre las presidencias de Dwight Eisenhower y John F. Kennedy, la acogida de la isla caribeña entre las
naciones del bloque soviético era cada vez más cálida, como
pudo comprobar el Che Guevara, en noviembre de 1960, duran
te los festejos por el aniversario de la Revolución bolchevique.
Unas semanas después, 81 partidos comunistas del mundo, reunidos en Moscú, dieron la bienvenida a ese inesperado hermano
del Caribe a la comunidad comunista global.

Durante el primer semestre de 1961, en una virtual situación de plaza sitiada provocada por las denuncias de la OEA —la
expulsión de este organismo se produciría un año después— y
el preludio y la secuela de la invasión de Bahía de Cochinos, la
radicalización comunista, que era una tendencia minoritaria entre algunos comandantes de la Sierra Maestra en 1958, comenzó
a tomar la forma de una política de Estado. En el multitudinario

sepelio de las víctimas de un ataque aéreo de aviones B-26, de factura norteamericana, aunque piloteados por exiliados cubanos que salieron de las bases de entrenamiento de la CIA en Guatemala, el 15 de abril de 1961, Fidel Castro proclamó definitivamente el "carácter socialista" de la Revolución. La ambivalencia entre lo revolucionario y lo comunista, que había marcado el posicionamiento público, los ámbitos doméstico o internacional, del gobierno cubano desde la renuncia del presidente Urrutia, finalmente se deshizo y los dirigentes de la isla comenzaron a proyectarse como marxistas.

En aquel discurso, Castro enmarcó la identidad socialista de la Revolución dentro del conflicto con Estados Unidos. En un momento dijo: "eso es lo que no pueden perdonarnos, que hayamos hecho una revolución socialista en las propias narices de los Estados Unidos". Luego tomó juramento al pueblo abarrotado en los alrededores del cementerio de Colón, en La Habana: "obreros y campesinos, hombres y mujeres humildes de la patria, ¿juran defender hasta la última gota de sangre esta Revolución socialista, de los humildes, por los humildes y para los humildes?". Además de los constantes gritos de "sí", el pueblo enardecido coreó congas como "somos socialistas, pa'lante y pa'lante y al que no le guste que tome purgante" o "Fidel, Jrushov, estamos con los dos". La respuesta de Kennedy fue decretar un embargo total contra Cuba.

Castro parecía sugerir que el carácter socialista de la Revolución ya estaba consumado, con la agresiva estatalización de la economía emprendida por el segundo gobierno revolucionario. Pero varios líderes del viejo Partido Socialista Popular (PSP), el único de los partidos republicanos que se mantenía en pie luego de dos años de Revolución, entendieron la declaración como un llamado a acelerar la transición socialista y, sobre todo, como una invitación a integrar plenamente la estructura del Estado insular. El secretario general del PSP, Aníbal Escalante, que había impulsado una creciente presencia pública de su organización en muchos ministerios y en la opinión pública, en las páginas del periódico *Noticias de Hoy*, que dirigió Carlos Rafael Rodríguez entre 1959 y 1961, declaró pocos días después del discurso de Castro en el cementerio de Colón que "Cuba entraba en su fase socialista".

La idea de que con las nacionalizaciones de 1960 y el vuelco del comercio exterior hacia el campo socialista se iniciaba una transición socialista en Cuba también fue desarrollada por Carlos Rafael Rodríguez, quien era entonces director de la Escuela de Economía de la Universidad de La Habana, en varios textos y conferencias de los dos primeros años de la Revolución. La corriente prorrevolucionaria dentro del PSP, que encabezaban Rodríguez, Escalante y otros líderes del viejo partido como Joaquín Ordoqui Mesa, a quien Raúl Castro nombraría viceministro primero de las Fuerzas Armadas Revolucionarias, se impuso a los más ortodoxos como Blas Roca y Juan Marinello, que habían rechazado los métodos revolucionarios durante la oposición a la dictadura de Batista y tenían prejuicios sobre el carácter "pequeñoburgués", "populista" o "izquierdista" de algunos líderes de la Sierra Maestra.

En 1961, el PSP, con la disciplina que siempre lo caracterizó, se fundió con las otras organizaciones revolucionarias, dando lugar al primer intento de un partido único en la Cuba socialista, llamado Organizaciones Revolucionarias Integradas (ORI). El primer líder de las ORI sería, precisamente, Aníbal Escalante, y muchos dirigentes del viejo partido, entre 1961 y 1962, comenzarían a ser designados en posiciones clave del nuevo Estado socialista: Carlos Rafael Rodríguez sería nombrado presidente del Instituto Nacional de la Reforma Agraria (INRA), en sustitución de Fidel Castro y de Antonio Núñez Jiménez, director ejecutivo de esa importante institución encargada de toda la política agroindustrial del país, Juan Marinello fue designado rector de la Universidad de La Habana, Lionel Soto director de las Escuelas de Instrucción Revolucionaria y Edith García Buchaca encargada de buena parte de la política cultural del país, en la vicepresidencia del Consejo Nacional de Cultura.

El comunista que alcanzaría mayor rango dentro del Estado socialista cubano y que, en buena medida, puede ser considerado uno de sus arquitectos fue Carlos Rafael Rodríguez. Entre 1960 y 1962, antes de que fuera nombrado presidente del INRA, Rodríguez dio forma a una teoría de la "transición socialista", condensada años después en su ensayo *Cuba en el tránsito al socialismo. 1959-1963* (1979), pero que tuvo su origen en discursos de aquellos años, como "La clase obrera y la Revolución" (1960) en el pleno de la Confederación de Trabajadores de Cuba, "Planificación y Revolución" (1960) ante el Sindicato de Trabajadores de la CMQ y "La defensa de la economía nacional" (1960) en la Universidad Popular, que adelantaban el "carácter socialista" de la Revolución cubana antes de que fuera declarado por sus máximos dirigentes. A partir de abril de 1961, Fidel y Raúl Castro, Osvaldo Dorticós y el propio Ernesto Che Guevara comenzarán a adoptar el lenguaje político-económico de la vía socialista a la industrialización, la planificación y el desarrollo, utilizado por Rodríguez en aquellos textos.

POLÍTICA DE MASAS Y GUERRA CIVIL

En medio de aquella indetenible polarización doméstica e internacional, la creativa política de masas de la Revolución, advertida muy temprano por el historiador italiano Antonio Annino, no hizo más que multiplicarse. A la intensa militarización de la ciudadanía, por medio de las milicias populares y las Fuerzas Armadas Revolucionarias (FAR), en espera de una eventual invasión de Estados Unidos, se sumó en enero de 1961 el inicio de la campaña de alfabetización. Cientos de miles de jóvenes que cursaban la secundaria y el bachillerato, en ciudades y pueblos de la isla, fueron movilizados para dar instrucción básica a poblaciones rurales en la Sierra Maestra, El Escambray y otros sitios montañosos. En algunas de esas regiones, como El Escambray, se estaban armando los primeros grupos armados contrarrevolucionarios desde el año anterior, por lo que la alfabetización coincidió con la contrainsurgencia organizada por el Ejército y las milicias.

La Campaña de Alfabetización, en 1961, se sumó a una política en favor de la escolaridad del primer Ministerio de Educación, encabezado por Armando Hart, desde los primeros días de 1959. De acuerdo con las estadísticas republicanas, en 1958 había cerca de 770000 niños en las escuelas cubanas, 650000 en la enseñanza "nacional" o pública y 120000 en la privada. En el segundo curso escolar de la Revolución, el de 1960-1961, la cifra había ascendido considerablemente a 1338992 alumnos en las escuelas públicas y descendido a 114433 en las privadas. Los índices de analfabetismo en Cuba eran de los más bajos de

América Latina, pero aun así, el primer gobierno revolucionario había censado 979 207 ciudadanos que no sabían leer y escribir, de una población de cerca de siete millones de habitantes. El 80% de los analfabetos residía en las regiones montañosas del Oriente y el Centro de la isla.

Para enseñar a leer y a escribir a esa población campesina, el gobierno revolucionario movilizó a cerca de 300 000 alfabetizadores: a razón de un maestro por cada tres o cuatro analfabetos. Se trató, por tanto, de una movilización apremiante con diversos contingentes, los "alfabetizadores populares", los "trabajadores de la enseñanza" y las brigadas "Patria o Muerte" y "Conrado Benítez", así llamada ésta en homenaje a un maestro voluntario ejecutado por una de las guerrillas anticomunistas alzadas en las montañas de El Escambray, justo en enero de 1961. Los dos contingentes mayores de la campaña fueron los de los educadores populares y la brigada Conrado Benítez. En un año los jóvenes alfabetizadores cubanos enseñaron a leer y a escribir a 707 000 campesinos cubanos. Sólo quedaron por alfabetizar cerca de 270 000 personas, el 3.9% de la población, entre las cuales se encontraban populosas comunidades de jamaiquinos y haitianos de las provincias de Oriente y Camagüey que no hablaban español. En una gran concentración de los brigadistas en la Plaza de la Revolución, el 22 de diciembre de 1961, Fidel Castro declaró a Cuba "territorio libre de analfabetismo".

En un informe sobre la Campaña de Alfabetización, publicado por el ministro Hart en la revista *Cuba Socialista* en diciembre de 1961, se citaba a Marx y se sugería que, para rebasar el modelo "humanista" de la educación burguesa y arribar a la concepción "científica" de la educación socialista, era preciso que en el proceso educativo estuvieran integradas las familias y, sobre todo, las asociaciones de Pioneros y Jóvenes Rebeldes, que pronto conformarían las ramas infantiles y juveniles del nuevo Partido Comunista. Hart también anunciaba que en los próximos meses se procedería a la estatización total de la educación en la isla, por lo que toda la sociedad, especialmente las nuevas organizaciones de masas, debía tomar parte en la cruzada contra los últimos vestigios de la educación privada, sobre todo la religiosa. La educación y la cultura, por medio del Consejo Nacional de Cultura, creado en enero de 1961, eran esferas que el gobierno revolucionario entendió, desde un primer momento, como correas de transmisión de la nueva ideología nacionalista revolucionaria y marxista-leninista. Las instituciones educativas y culturales, así como las Escuelas de Instrucción Revolucionaria eran asumidas como mecanismos de "concientización de un pueblo", cuya mentalidad había sido moldeada por la mentira y la ignorancia de la República burguesa y neocolonial. El campo intelectual y artístico de la isla, de notable modernidad y vanguardismo al triunfo de la Revolución, se vio polarizado y fracturado por aquellas políticas, como se comprobó en 1961 con el cierre del magazine literario *Lunes de Revolución* y, un poco más adelante, con la fundación de la Unión de Escritores y Artistas de Cuba.

En buena medida, la gran palanca de la política de masas entre 1960 y 1962, antes de que avanzara más claramente la formación del partido único, fue la centralización sindical. El 1 de agosto de 1961 se promulgó la nueva Ley de Organización Sindical, impulsada por el ministro del Trabajo, Augusto Martínez Sánchez, y el veterano líder comunista Lázaro Peña, ya en control de la Central de Trabajadores de Cuba. Esta nueva disposición partía de la premisa de que en un país con 75% de su parque industrial —Guevara hablaría en Montevideo de 85%— en manos del Estado era indispensable integrar a todos los gremios y sindicatos en una sola organización, subordinada al gobierno revolucionario. "La multiplicidad de organizaciones de diferentes oficios y profesiones —decía la Ley 962— en un mismo centro de trabajo es factor que dificulta el esfuerzo colectivo que requiere el desarrollo de nuestro país". Para ser coherentes con la centralización, la ley proponía que el nombre de "Confederación" fuera reemplazado por el de "Central".

El mismo sentido de subordinación al proyecto político de la transición socialista se dio a la Asociación Nacional de Agricultores Pequeños (ANAP), fundada en enero de 1961. En el Reglamento General de esa asociación, emitido por el Instituto Nacional de la Reforma Agraria (INRA) en junio de 1961, se establecían los objetivos y funciones de esta organización masas.

Aunque era una institución del gobierno la que congregaba a los pequeños agricultores, el INRA tuvo la delicadeza de señalar que la ANAP "se creaba por la voluntad y decisión de los campesinos cubanos, al amparo de las medidas dictadas por el gobierno revolucionario". Luego, el Reglamento General delineó los fines de la asociación como un conjunto de llamados a "cooperar" con el gobierno revolucionario en la realización del "programa agrario de la Revolución socialista". Naturalmente, el texto especificaba que para ser miembro de la ANAP era necesario ser un "campesino poseedor de un área no mayor de cinco caballerías de tierra" y "estar de acuerdo con el presente Reglamento".

Se trataba del mismo patrón que se siguió en la creación de otras organizaciones de masas, que serían pilares del nuevo Estado socialista por décadas, como los Comités de Defensa de la Revolución (CDR), en septiembre de 1960, o la Federación de Mujeres Cubanas (FMC) un poco antes, en agosto de ese mismo año, y que dirigiera vitaliciamente la esposa de Raúl Castro, Vilma Espín. En un discurso por el primer año de existencia de esa asociación, recogido en la revista *Cuba Socialista*, Espín comenzaba citando a la intelectual marxista Mirta Aguirre, y culminaba con esta frase: "la Revolución, al tomar el camino del socialismo, crea todas las condiciones necesarias para la liberación de la mujer". Los CDR, como es sabido, además de otras funciones supletorias de los servicios públicos, como la limpieza de las calles y el mantenimiento de los espacios públicos, cumplían funciones de vigilancia. En el discurso fundacional de esa asociación, el 28 de septiembre de 1961, Castro definió a los CDR como la retaguardia civil de la vanguardia armada de las milicias y las FAR, en la lucha contra el enemigo interno y externo: "es imposible que los gusanos y los parásitos puedan moverse si el pueblo, que sabe demasiado bien quiénes son los gusanos y quiénes los parásitos, los vigila por sí mismos". Como bien recordaba Castro en ese mismo discurso, el Ejército Rebelde, al triunfo de la Revolución, sumaba unos 3 000 hombres. Las FAR y las milicias fueron sumando cientos de miles en los años siguientes por medio de un acelerado proceso de militarización de las masas. Una secuencia paralela, de politización de la ciudadanía, siguieron las demás organizaciones sociales, creadas con el fin de involucrar al conjunto de la sociedad en las metas trazadas por el gobierno revolucionario: industrialización y desarrollo. La Revolución, en su etapa insurreccional, había sido obra de una minoría que se ganó un enorme respaldo popular. Pero la Revolución, convertida en poder, era ya un movimiento de masas, instrumentado por medio de las nuevas correas de transmisión del Estado, que atravesaban toda la sociedad civil, hasta el ámbito familiar.

Ese proceso de politización generó, naturalmente, fracturas en diversos sectores de la sociedad civil. La Iglesia católica, pastores protestantes, Testigos de Jehová, las religiones afrocubanas, las asociaciones raciales, gremiales o espirituales del periodo republicano, los homosexuales y los propios sectores de clase media y alta que permanecieron en la isla luego de las grandes transformaciones entre 1959 y 1961, sufrieron distintos tipos de segregación social y represión política. El extraordinario crecimiento del exilio en aquellos años, que llegó a sumar cerca de 200 000 personas, es un claro síntoma de la exclusión provocada por la gran movilización popular que desató el gobierno revolucionario. Pero otro síntoma menos conocido y no menos importante fue la articulación de una nueva oposición violenta dentro de la isla, que llegó a sumar varias decenas de miles, en un cálculo conservador, y que fue eficazmente reprimida por medio de la contrainsurgencia, en el caso de las guerrillas de El

Escambray entre 1960 y 1967, y de la infiltración, el arresto y hasta la ejecución, en el caso de la oposición urbana.

Desde el verano de 1960, ya estaban alzados en la Sierra del Escambray el comandante rebelde Plinio Prieto y el presidente de la Federación de Estudiantes Universitarios de la Universidad Central de Las Villas, Porfirio R. Ramírez, que fueron capturados en Cumanayagua, junto con sus compañeros Sinesio Walsh, José Palomino y Ángel Rodríguez del Sol, y fusilados sin juicio, en octubre. Prieto había peleado en el Segundo Frente de El Escambray contra la dictadura de Batista, al igual que Ramírez, quien bajó de las montañas con el grado de capitán. Entre los últimos meses de 1960 y los primeros de 1961, el gobierno revolucionario lanzó una ofensiva contrainsurgente de 70 000 hombres, al mando de los comandantes Dermidio Escalona y Raúl Méndez Tomassevich. La ofensiva incluyó el desplazamiento de pueblos enteros del Escambray hacia Pinar del Río y otras zonas del Occidente, con el fin de reubicar el sustrato campesino y católico de apoyo a las guerrillas, como en el conocido caso de la "comunidad tabacalera" Sandino.

También en octubre de 1960 fueron arrestados en La Cabaña y sometidos a los Tribunales Revolucionarios dos comandantes de las guerrillas antibatistianas de El Escambray, Jesús Carreras y William Morgan, a quienes se acusó de ser parte de un plan de recepción de armas norteamericanas que se utilizarían para levantar a los campesinos de la Sierra central. Ambos fueron fusilados en marzo de 1961, sin que llegaran a tomar parte en el alzamiento de El Escambray, propiamente dicho, o en el apoyo logístico a la invasión de Playa Girón, ya que estaban recluidos en La Cabaña. El caso del fusilamiento de Morgan, un veterano de la segunda Guerra Mundial, de Cleveland, que apoyó la Revolución contra Batista, tuvo un impacto negativo sobre la imagen de la Revolución cubana en la opinión liberal de Estados Unidos, donde llegó a contar con tanto respaldo entre 1957 y 1960.

El gobierno revolucionario bautizó aquella operación contraguerrillera como "Limpia del Escambray" o "Lucha contra bandidos" e incluyó a todas las organizaciones sociales en la confrontación. Jóvenes soldados y milicianos, periodistas y médicos, que no habían participado en la lucha de la Sierra Maestra, vieron en la defensa de la Revolución, lo mismo en El Escambray que en Playa Larga y Playa Girón, la epopeya que correspondía a su generación. Involucrarse en aquellos conflictos era la manera de emular la hazaña de los héroes revolucionarios que habían derrocado a Batista. El adolescente Manuel Ascunce, por ejemplo, estudiante de secundaria en Sagua la Grande y miembro de la Asociación de Jóvenes Rebeldes fue ejecutado, junto con el guajiro Pedro Lantigua a quien enseñaba a leer y a escribir, por las tropas de Braulio Amador, Pedro González y Julio Emilio Carretero, un importante jefe guerrillero que sobrevivió a las primeras ofensivas y que fue capturado y fusilado en 1962.

La llamada "limpia" no logró sofocar el alzamiento de El Escambray en 1961, aun después del fracaso de la invasión de Bahía de Cochinos y del incremento del apoyo militar soviético. En 1962, los hermanos Martínez Andrade crearon focos guerrilleros en el norte de Las Villas y Camagüey y, en 1963, los rebeldes todavía sumaban cientos de hombres distribuidos en pequeñas partidas armadas. Ese año murió en combate el máximo jefe guerrillero Tomás San Gil, que había sustituido a Osvaldo Ramírez tras la muerte de éste en 1962. Algunos combates de esos años, como el de El Guasimal, dan una idea de la capacidad de resistencia de aquella oposición armada, a pesar de la inmensa popularidad de la Revolución y su gobierno. En ese combate murió otro jefe guerrillero, Maro Borges, pero su hermano Elías, que también intervino en el combate, logró escapar y exiliarse en Miami.

Durante sus ofensivas contra los alzados de El Escambray, el gobierno revolucionario incautó armas de factura y procedencia norteamericanas. Ya en marzo de 1961, el periódico *Hoy* publicaba una lista de "lanzamientos" de armas desde el aire, entre enero y febrero de ese año, en la zona de El Escambray y otros sitios de Las Villas, que sumaban 945 armas ligeras y pesadas y gran cantidad de parque y alto material explosivo. Esos cargamentos estaban destinados a consolidar la guerrilla antes del desembarco de los 1 500 exiliados cubanos enrolados en la Brigada 2506, que desembarcó en Playa Girón en abril de 1961. Además de las guerrillas rurales y la invasión, una amplia red de conspiradores urbanos, afiliados fundamentalmente a las organizaciones Movimiento Revolucionario del Pueblo (MRP) y Movimiento de Recuperación Revolucionaria (MRR), dirigidos respectivamente por Manuel Ray y Manuel Artime, se preparaba en las ciudades para la guerra civil.

En el libro *Politics of Illusion* (1998), editado por James G. Blight y Peter Kornbluh, cuatro protagonistas de aquellos sucesos (Enrique Baloyra, Lino B. Fernández, Rafael Quintero y Alfredo Durán) afirman que, además de los 1 000 alzados que ya había en El Escambray, las principales organizaciones de oposición al naciente comunismo cubano (MRR, MRP, 30 de Noviembre, Directorio Revolucionario) contaban con 6 000 conspiradores en las principales ciudades y 20 000 simpatizantes en toda la isla. La eficaz y preventiva represión organizada por el gobierno, en las semanas previas a la invasión, habría incluido el encarcelamiento de 100 000 personas, cifra manejada por estudiosos como Hugh Thomas y Jorge I. Domínguez.

Algunos de los arrestados en los meses previos a la invasión de Girón, como el comandante de la Revolución Humberto Sorí Marín, primer ministro de Agricultura del gobierno revolucionario, fue fusilado en la prisión de La Cabaña. Otros líderes del MRR y de otras organizaciones opositoras, como Rogelio González Corso, Eufemio Fernández, Rafael Díaz Hanscom, Manuel Lorenzo Puig, Nemesio Rodríguez Navarrete o Gaspar Domingo Trueba, sufrirían la misma suerte. Algunos líderes del MRR, como Lino B. Fernández, o del MRP, como Reinol González, fueron recluidos durante 20 años, al cabo de los cuales, tras un diálogo entre el gobierno de Fidel Castro, el de James Carter y un sector influyente de comunidad cubanoamericana, serían liberados, marchando al exilio.

Muchos de los miles de arrestados antes de la invasión no eran conspiradores, pero formaban la base social de una extendida resistencia anticomunista en el país. Si se suman todos los ejecutados, los presos, los exiliados, los guerrilleros rurales y urbanos y los simpatizantes de cualquiera de las organizaciones opositoras se alcanzaría una suma considerable, que no puede ser entendida como "minoría". En todo caso, si los opositores no eran tantos como los 20 000 o 30 000 que defendían al gobierno, sí eran muchos más que los que entre 1957 y 1958 se enfrentaron a Batista. El concepto de guerra civil parece apropiado para describir la polarización que vivió Cuba en la primera mitad de los sesenta y que dejó secuelas duraderas en la población de la isla y, también, en el constante éxodo de cubanos hacia Estados Unidos.

Un aliado de Moscú en el Caribe era una amenaza inédita a la seguridad norteamericana y la CIA, el Pentágono y otras instituciones del gobierno de Estados Unidos tomaron cartas en el asunto. La CIA fue, en todo caso, el aparato que planeó, financió y organizó el proyecto de Bahía de Cochinos y el principal interlocutor de los anticomunistas cubanos, en la isla o en el exilio, dentro del gobierno de Estados Unidos. Sin embargo, es equivocado imaginar a aquellos miles de jóvenes, en su mayoría católicos y partidarios de la revolución antibatistiana, como peones de Washington o marionetas de los intereses económicos afectados. Para ellos, la CIA era un soporte tan ineludible como incómodo, ya que la causa que los movilizaba provenía de los valores democráticos y nacionalistas de la Constitución del 40. Una gran parte de aquellos jóvenes, que después se afilió al MRR, el MRP y al nuevo Directorio Revolucionario Estudiantil (DRE), provenía de la Agrupación Católica Universitaria (ACU) y del Movimiento Demócrata Cristiano (MDC), impulsado por José Ignacio Rasco, donde predominaban las ideas y valores del nacionalismo católico. Los opositores cubanos de 1961 se consideraban "verdaderos" revolucionarios, en cruzada contra "falsos" revolucionarios que habían roto el pacto de enero del 59 e imponían un alineamiento de la isla al bloque soviético de la Guerra Fría y una reenvangelización marxista-leninista del pueblo católico. Por su parte, los nuevos líderes cubanos, y decenas de miles de sus leales seguidores, asumían la alianza con la CIA y con Washington como traición a la patria, a pesar de que el Movimiento 26 de Julio durante la insurrección contra la dictadura también conversó con la CIA y recibió algún apoyo de Washington. En cualquier caso, Cuba en 1958 no estaba aún en el centro del mundo bipolar, mientras que en 1961, por iniciativa de sus gobernantes, sí lo estaba y los opositores se colocaban, naturalmente, en las antípodas del entendimiento con Moscú.

¿Qué defendían los revolucionarios y milicianos cubanos que se enfrentaron a sus compatriotas en Playa Girón y El Escambray? ¿Defendían el socialismo? ¿El partido único, la economía estatizada, el control de los medios de comunicación, la supresión de derechos civiles y políticos y la represión de cualquier crítica o disidencia? Más bien, los revolucionarios defendían la "patria", la "soberanía", valores nacionalistas, no comunistas. Eso que Richard R. Fagen llamó "la transformación de la cultura política" en Cuba —o lo que el propio gobierno revolucionario llamaba "concientización de las masas"—, y que podríamos traducir como el adoctrinamiento marxista-leninista de la población, fue un fenómeno posterior a Bahía de Cochinos.

En sectores muy ideologizados de la isla, la guerra civil pudo haber sido un enfrentamiento entre comunistas y demócratas. En buena parte de la clase media, el conflicto se vivió como el choque entre dos maneras irreconciliables de entender la misma Revolución. Unos pensaban que se podían reformar el campo y las ciudades, nacionalizar las industrias estratégicas, alfabetizar la parte analfabeta de la ciudadanía y sanear la política sin suprimir libertades y celebrando elecciones. Otros sostenían que la única manera de avanzar en cambios más radicales, como la estatización de la economía, que lograría la independencia nacional, la industrialización y el desarrollo, era por medio del control permanente del poder. La guerra civil era la lucha a muerte entre cubanos por dos proyectos de una misma nación, que sólo habrían podido convivir en democracia.

DE PLAYA GIRÓN
· A LA CRISIS DE LOS MISILES

Entre abril de 1961 y noviembre de 1962, es decir, entre la invasión de la Brigada 2506 y el pacto Kennedy-Jrushov, que evitó el estallido de una guerra nuclear en el Caribe, Cuba se colocó en el centro de la Guerra Fría y su naciente Estado socialista debió reorientar sus relaciones con el mundo y su estrategia geopolítica. La invasión de Bahía de Cochinos, planeada por la CIA durante el último año de la administración Eisenhower y autorizada por el presidente Kennedy en sus primeros meses de gobierno, fue neutralizada en menos de tres días. Aunque el ejército, la armada o la fuerza aérea de Estados Unidos no intervinieron a mediana o gran escala en la operación, el gobierno cubano derribó aviones norteamericanos, conducidos por pilotos de ese país, como Leo Francis Berliss y Thomas Willard Ray, que delataban la intervención de Washington.

Para Kennedy se trató de un duro golpe a su flamante administración, mientras que para el gobierno cubano representó la más rotunda y capitalizable victoria, luego de enero de 1959. La transición socialista, iniciada en 1960, tomó un renovado impulso a partir de entonces y la alianza con los soviéticos adquirió un fuerte matiz militar. La Habana y Moscú concluyeron que Estados Unidos intentaría resarcir la derrota por medio de una invasión, ahora sí a gran escala, lo cual justificaba una resuelta alianza defensiva entre la Unión Soviética y Cuba. Buena parte de la estrategia diplomática cubana, en la segunda mitad del año 61, se abocó a la consolidación de esa alianza. En agosto, otra delegación de alto nivel con asesores técnicos y militares soviéticos llegó a Cuba, y el presidente Dorticós inició, al mes siguiente, una larga gira por los países socialistas, que incluyó una importante escala en Belgrado, Yugoslavia, donde el gobierno de la isla solicitó su integración al Movimiento de Países No Alineados. A su paso por Moscú, el presidente cubano firmó un nuevo convenio comercial con la URSS, por el cual este país ofrecía comprar cinco millones de toneladas de azúcar anuales en los próximos cinco años. Pocos meses después, una amplia delegación de las Organizaciones Revolucionarias Integradas (ORI), encabezada por Aníbal Escalante viajó a la Unión Soviética para participar en el XXII Congreso del Partido Comunista de la Unión Soviética (PCUS), con el propósito de sellar una alianza definitiva con ese partido, que permitiera la transferencia de modelos de dirección económica, política y cultural a la isla. El pacto de colaboración económica y militar con los soviéticos sellado en esos meses logró sobrevivir a la crisis que generaron las divisiones entre el Che Guevara y un sector del Movimiento 26 de Julio y el grupo más prosoviético de las ORI, en marzo de 1962, y que condujo a la remoción de Escalante y su sustitución por el propio presidente Dorticós.

Aquella crisis, inicio de lo que comenzaría a llamarse "el proceso al sectarismo", tuvo como efecto colateral el reemplazo del embajador soviético Serguei Kudriatsev por el viejo amigo de los Castro, Alexander Alexeiev, quien había sido el primer corresponsal de la agencia TASS en la Cuba revolucionaria. Luego del nombramiento de Alexeiev, Raúl Castro viajó a Moscú y se entrevistó con Jrushov, en junio de 1962. En aquella visita ambos gobiernos confirmaron su alianza militar en caso de invasión de Estados Unidos y anunciaron la próxima apertura de una línea aérea directa entre Moscú y la Habana, que comenzó a operar en julio. La serie de cruces de acusaciones verbales entre la administración Kennedy y el gobierno soviético, entre agosto y septiembre de 1962 —declaración a favor de Cuba de Jrushov y Brezhnev el 26 de julio, por el aniversario del Moncada, aclara-

ción de Moscú de que las armas y equipos militares enviados a
Cuba eran de naturaleza defensiva, advertencia de Kennedy de
que la instalación de misiles era una amenaza a la seguridad de
Estados Unidos, respuesta de Brezhnev de que un ataque a Cuba
significaba el principio de una tercera guerra mundial…—, tuvo
su origen en aquel pacto entre La Habana y Moscú, ya previsto
por Fidel Castro en la primera *Declaración de La Habana*.
En el contexto latinoamericano, el aislamiento de Cuba in-
centivaba aquella alianza con los soviéticos. En enero de 1962,
una reunión de cancilleres de la OEA había expulsado a la isla
de la organización, por 14 votos a favor y seis abstenciones, de
Brasil, Argentina, México, Chile, Bolivia y Ecuador, con el argumento de que en Cuba se había adoptado un régimen marxista-leninista, incompatible con el sistema interamericano. En los
meses siguientes, casi todos los gobiernos de la región, menos
México, rompieron o congelaron sus relaciones con Cuba y algunos aprovecharon la coyuntura para acusar a La Habana de
alentar la subversión interna. La respuesta del gobierno revolucionario a esa presión ya había sido adelantada por el Che Guevara en su importante ensayo "Cuba: ¿excepción histórica o vanguardia en la lucha anticolonialista?" (1961), en la crítica a la
Alianza para el Progreso del propio Guevara en Punta del Este,
en el discurso del presidente Dorticós en la conferencia del Movimiento de Países No Alineados en Belgrado y en la comparecencia del canciller Roa en la Asamblea General de Naciones Unidas en octubre de 1961. Esa respuesta volvió a reiterarse en la
segunda *Declaración de La Habana*, aprobada a mano alzada por
una multitud congregada en la Plaza de la Revolución, el 4 de
febrero de 1962.

En el documento era un manifiesto de llamado y adhesión a la
revolución mundial, que intentaba conciliar el marxismo-leninismo de corte soviético con el radicalismo nacionalista y anticolonial del Tercer Mundo. Castro comenzó su argumentación
afirmando la decadencia de la tradición ilustrada, liberal y repu-

blicana "burguesa", simbolizada por Diderot, Voltaire y Rousseau, que él mismo había suscrito en *La historia me absolverá*, y proponía abrazar las ideas de la nueva etapa revolucionaria mundial, a su juicio, personificadas por Marx, Engels y Lenin. Luego planteó un diagnóstico del orden global, no tanto caracterizado por el choque Este/Oeste como por la tensión Norte/Sur, que se distinguía por la resistencia del imperialismo a perder sus últimas colonias en África y Asia o sus neocolonias en América Latina. La posición de Cuba, que se desprendía de la segunda *Declaración de La Habana*, era la de un Estado socialista, integrado al bloque soviético, cuya misión, sin embargo, era inclinar las posiciones de la izquierda comunista internacional a favor de la descolonización, la independencia y la adopción de una vía marxista de desarrollo en el Tercer Mundo.

El texto tuvo una fervorosa acogida en las nuevas izquierdas latinoamericanas, en los partidos comunistas de Viet Nam y China —Liu Shao-chi y Chou En-lai, por ejemplo, lo elogiaron como el camino correcto para la liberación nacional— e, incluso, en el movimiento de liberación norafricano, pero generó múltiples reservas y críticas dentro del comunismo latinoamericano. A partir de entonces, la política exterior de la isla intentaría avanzar sobre ese eje conflictivo, de apoyo a las nuevas izquierdas descolonizadoras del Tercer Mundo, sin poner en riesgo el vital respaldo económico y militar de la Unión Soviética e intentando mantener la interlocución con la China maoísta. Por lo pronto, en el Caribe, esa complejísima estrategia debía enfrentarse a la prueba concreta de la instalación de misiles soviéticos, un desafío que evidentemente provenía de la máxima dirigencia de la Revolución y que los soviéticos aceptaron.

El desenlace de la crisis de los misiles es conocido. Luego de semanas de movilización militar en la isla y forcejeos diplomáticos y militares en el Atlántico, Kennedy y Jrushov pactaron a fines de octubre el retiro de los misiles soviéticos de la isla, a cambio de que se desmantelaran los cohetes de Turquía y del compromiso de que Estados Unidos no invadiría Cuba. El gobierno cubano y, en particular, Fidel Castro y el Che Guevara se sintieron excluidos y defraudados por los soviéticos y exigieron que en la negociación se tuvieran en cuenta los cinco puntos planteados por la isla, que incluían, el cese del embargo, la devolución de la base naval de Guantánamo, el fin de las violaciones del espacio aéreo y del marítimo, así como el apoyo a la oposición interna.

Lo curioso, y a la vez ilustrativo del conflicto cubano, es que no sólo los dirigentes de la isla sino también los del exilio se sintieron traicionados por Kennedy. La máxima dirigencia del exilio, encabezada entonces por figuras que habían tomado parte en la oposición al régimen de Batista y en la primera etapa de la Revolución, como José Miró Cardona, Manuel Antonio de Varona o Manuel Artime Buesa, el único de aquellos líderes que participó en la invasión comandada por José Alfredo Pérez San Román, también mostró su malestar con el presidente por no haber dado cobertura aérea y naval a la invasión. En diciembre de 1962, luego de poner buena cara junto a Kennedy y su esposa Jacqueline, en un multitudinario acto en el Orange Bowl de Miami, donde se dio formal bienvenida a los 1 113 miembros de la Brigada 2506, encarcelados en la isla y luego canjeados por alimentos y medicinas por un valor de 60 millones de dólares, los líderes del exilio iniciaron un fuerte cabildeo en contra de la política del demócrata hacia la isla.

En abril de 1963, Miró Cardona renunció a la presidencia del Consejo Revolucionario, derivado de aquel Frente Democrático Revolucionario que se había fundado en México en 1960, que coordinó con la CIA la operación de Bahía de Cochinos. La carta de renuncia, aparecida en *The New York Times*, sostenía que bajo los términos del pacto Kennedy-Jrushov era inviable una nueva invasión a Cuba. Cuando en mayo de 1963 se crea una nueva organización exiliada, el Comité Cubano de Liberación, que desplaza, en buena medida, al Consejo Revolucionario, la dirigencia del exilio parecía decidida a buscar nuevas alianzas dentro de la política norteamericana. Uno de los fundadores de ese Comité, junto con el ex presidente Carlos Prío Socarrás y el periodista y último dueño de *El Diario de la Marina* José Ignacio Rivero, el importante político y constitucionalista cubano Carlos Márquez Sterling afirmaba, sin embargo, que a mediados de los años sesenta "se había clausurado el capítulo de la ayuda de Estados Unidos al esfuerzo de reconquistar la patria para la libertad y la democracia" y que la "posición de los defensores de Cuba Libre había empeorado".

A pesar de que los exiliados percibían más sólido al gobierno revolucionario luego de la crisis de los misiles, lo cierto era que a partir de 1963 el Estado socialista debió enfrentarse a sus mayores retos domésticos e internacionales. Por un lado, era preciso echar a andar un modelo de planificación de la economía que lograra un crecimiento sostenido, imperceptible hasta entonces. En 1962, la producción azucarera había caído, por primera vez desde el triunfo de la Revolución, por debajo de los cinco millones de toneladas, y en 1963 caería a menos de cuatro. El descenso tenía que ver con la contracción del precio internacional del azúcar, pero también con problemas de productividad, como había reconocido el Che Guevara desde el verano del 62, y con un proyecto rentable de inserción en el mercado socialista. Por otro lado, la política exterior se movía en la doble dirección del respeto a la reglas del juego de la "coexistencia pacífica" de la URSS y de la exportación de guerrillas a América Latina y apoyo a los movimientos de liberación nacional en el Tercer Mundo.

CUBA Y LAS AMÉRICAS

Desde los años de la insurrección contra el régimen de Fulgencio Batista, los revolucionarios cubanos incluyeron en sus diversos programas políticos un posicionamiento contra las dictaduras latinoamericanas, aliadas del antiguo régimen en la isla. Especialmente, las dictaduras del Caribe (Marcos Pérez Jiménez en Venezuela, Gustavo Rojas Pinilla en Colombia, Rafael Leónidas y Héctor Bienvenido Trujillo en República Dominicana, Anastasio y Luis Somoza en Nicaragua y François Duvalier en Haití), que mantuvieron colaboración política y militar con Batista, fueron comprendidas dentro de la red antiautoritaria regional, que impulsaba la Revolución cubana.

Como ya se dijo, a unas horas de instalarse el gobierno de Manuel Urrutia Lleó en Santiago de Cuba en los primeros días de enero de 1959, el presidente envió mensajes a la ONU y la OEA denunciando la violación de derechos humanos en República Dominicana, Nicaragua, Haití y también Paraguay, por las dictaduras de Trujillo, Somoza, Duvalier y Stroessner. El primer embajador de la Cuba revolucionaria en la OEA, Raúl Roa, tuvo un papel destacado en esas denuncias a violaciones de derechos humanos en la región, que, en buena medida, retomaban la política exterior nacionalista y democrática de los "auténticos", estudiada por Vanni Pettinà.

A fines de enero de 1959, Fidel Castro viajó a Venezuela donde acababa de resultar elegido Rómulo Betancourt con su partido, Acción Democrática, que había sido uno de los soportes internacionales básicos de la Revolución cubana. El apoyo inicial de Betancourt, una figura de mucha autoridad en la OEA, reforzó el amplio reconocimiento diplomático del gobierno revoluciona-rio durante casi todo el año de 1959. La administración de Dwight Eisenhower había reconocido al gobierno revolucionario cuba-no el 7 de enero de 1959, antes de la llegada de Castro a La Ha-bana, y el embajador norteamericano Philip Bonsal había logrado una rápida y fluida interlocución con el canciller Roberto Agra-monte y con el embajador Roa.

En abril de 1959, Castro hizo una apoteósica gira por Esta-dos Unidos, invitado por la Sociedad de Editores de Periódicos, en la que se entrevistó con el vicepresidente Richard Nixon, ha-bló en el Congreso y visitó las universidades de Princeton y Har-vard. La cobertura de *The New York Times* y otros grandes medios estadounidenses, como la influyente cadena CBS, donde Castro era una presencia familiar en *shows* estelares como los de Ed Sulli-van y Edward R. Murrow desde los días del triunfo de la Revo-lución, fue mayoritariamente positiva y estuvo marcada por la deliberada proyección pública del líder cubano como un polí-tico nacionalista y democrático, en la tradición de Lázaro Cárde-nas y del propio Rómulo Betancourt.

Una semanas después de aquel viaje a Estados Unidos, el primer ministro volvió a viajar, esta vez en una larga gira por Canadá, Brasil, Uruguay y Argentina, donde fue recibido por el presidente Arturo Frondizi, anfitrión de una reunión del Comi-té de los 21, una entidad económica de la OEA, donde el líder cubano pidió un crédito de 30 000 millones de dólares, en 10 años, para lograr el desarrollo de América Latina. En todo ese recorrido, Castro reiteró la promesa de elecciones en dos años y enfatizó su orientación ideológica no comunista, aunque sí pro-gresista, comprometida con la implementación de reformas eco-nómicas y sociales profundas que traerían soberanía, justicia e igualdad a la nación cubana. Justo en los días en que Castro concluía su gira latinoamericana, Cuba y Estados Unidos firma-ban un acuerdo económico para fomentar el desarrollo de la isla.

Al ser recibido por el embajador Bonsal en el aeropuerto de Rancho Boyeros, el 4 de mayo de 1959, Castro transmitió el mensaje de que el vínculo con Estados Unidos vivía un nuevo comienzo.

Aquellas buenas relaciones entre Cuba y las dos Américas, que marcaron todo el primer semestre de 1959, lograron sobrevivir a la prueba de la primera Ley de Reforma Agraria. En una nota del 11 de junio de 1959, el Departamento de Estado de Estados Unidos emitió un comunicado en el que se reconocía el derecho del gobierno revolucionario a expropiar tierras por causa de utilidad pública, pero demandaba la aplicación de compensaciones oportunas y justas. La nota con la que el gobierno revolucionario respondió a aquel comunicado fue respetuosa y vindicó el derecho del gobierno revolucionario a establecer los términos de la compensación a precios vigentes. La tardía respuesta del Departamento de Estado a la nota cubana del 17 de julio, en octubre de 1959, seguía siendo moderada y argüía razones de derecho internacional para el pago de indemnizaciones a las empresas expropiadas.

Aunque ya para fines de 1959, el gobierno cubano había propiciado varias invasiones armadas a países vecinos como Panamá, Haití y República Dominicana, La Habana pudo sobrellevar las protestas que esos gobiernos plantearon en la reunión de la OEA y el llamado de atención sobre la "inseguridad en el Caribe" que se hizo en la reunión de cancilleres de ese organismo en Santiago de Chile. En los primeros meses de 1960, cuando la crítica a los fusilamientos y a la incorporación de comunistas al gobierno ganaba terreno en la opinión pública internacional, se precipitó el conflicto entre Estados Unidos y Cuba, que arrastró a la mayoría de los gobiernos latinoamericanos.

A la expropiación de decenas de miles de acres de tierra de la United Fruit Company decretada en enero de 1960, siguió la visita de una alta delegación soviética, encabezada por el canciller Anastas Mikoyan, que firmó un jugoso acuerdo comercial con la isla. El presidente Eisenhower, que para entonces parecía decidido a recortar la cuota azucarera de la isla, dio órdenes a la CIA de organizar y entrenar a un contingente de exiliados cubanos en Centroamérica y de propiciar un levantamiento interno contra el gobierno revolucionario. Los atentados y sabotajes en ciudades y campos de la isla, especialmente la quema de cañaverales en la zona azucarera, se volvieron rutinarios en aquellos meses. La explosión de un carguero francés que transportaba armas, en el puerto de La Habana, a principios de marzo, fue achacada por los líderes cubanos directamente al gobierno norteamericano, y el canciller Roa denunció que Estados Unidos, la United Fruit Company, la CIA y el gobierno de Guatemala preparaban un golpe de Estado similar al que había derrocado al presidente Jacobo Árbenz en 1954.

En el verano de 1960, aquella creciente tensión llegó a un punto irreversible. En mayo, el gobierno revolucionario cubano había pedido a las refinerías norteamericanas (Esso y Texaco) y a la británica Shell que refinaran el crudo soviético que comenzaría a importarse de acuerdo con el convenio firmado con el canciller Mikoyan. Las refinerías, naturalmente, se negaron, y el gobierno de la isla, como parte de un gran programa de nacionalización económica que puso cerca del 80% de la actividad productiva y comercial en manos del Estado, las confiscó. El presidente Eisenhower canceló, entonces, la cuota azucarera, despojando a Cuba del principal mercado para su producto básico de exportación. El proceso de nacionalización continuó entre los meses de julio y agosto, y cuando Castro viajó a la Asamblea General de Naciones Unidas en septiembre de 1960 fue recibido, por los grandes medios conservadores y liberales de Nueva York, como un enemigo.

La delegación cubana se alojó en el hotel "Theresa" de Harlem, donde el primer ministro se entrevistó con Nikita Jrushov y el líder afroamericano Malcolm X, en evidente desafío a Washington: el principal rival externo y un opositor doméstico. Por esos mismos días, el jefe de operaciones encubiertas de la CIA, Richard M. Bissell, intentaba coordinar con el empresario Robert A. Maheu, colaborador del magnate Howard Hughes, uno de los tantos fracasados intentos de atentado contra Castro. En octubre de 1960, en el famoso debate presidencial televisivo de Richard Nixon y John F. Kennedy, ambos candidatos se mostraron abiertamente contra lo que entendían, ya, como la consumada introducción en Cuba de un régimen comunista, aliado de la Unión Soviética.

A fines de octubre de 1960, pocos días después de que se decretaran las medidas iniciales del embargo comercial de Estados Unidos contra Cuba, el embajador Bonsal fue llamado a consultas a Washington. Fue el último de los embajadores norteamericanos en la isla y no se puede decir que no intentó salvar la relación, a pesar de tantas condiciones adversas. Sin canales diplomáticos y en medio de la sucesión presidencial entre Eisenhower y Kennedy, el plan de la CIA, mal coordinado con la dirigencia del exilio, la nueva clandestinidad urbana de la isla y las guerrillas del Escambray, desembocó en el fracaso de la invasión de Bahía de Cochinos y la rápida neutralización del movimiento opositor.

El revés de Bahía de Cochinos obligó al gobierno de Kennedy a priorizar la política hemisférica por medio de la Alianza para el Progreso, que tuvo a la OEA como eje institucional. El choque sobre el tema cubano se impuso en esa organización interamericana entre los años 1960 y 1962, al grado de aprobar resoluciones específicas sobre la amenaza hemisférica de la alianza militar entre Moscú y La Habana. En agosto de 1960, en San José de Costa Rica, otra capital latinoamericana aliada de la insurrección contra Batista, una reunión de cancilleres de la OEA adoptó una resolución que alertaba contra la amenaza de intervención de un poder extracontinental, en alusión a la Unión Soviética. Durante 1961, los reclamos de la OEA se reiteraron, al tiempo en que varios países de la región (República Dominicana, Haití, Guatemala, Honduras, El Salvador, Nicaragua, Costa Rica, Paraguay, Perú y, finalmente, Venezuela) rompían relaciones con Cuba, en rechazo al apoyo que brindaba La Habana a guerrillas y movimientos de la izquierda radical en sus territorios. A fines de 1961, el gobierno colombiano convocó a una nueva reunión de ministros de Exteriores de la OEA, a celebrarse en Punta del Este, Uruguay. El gobierno de México se opuso a la convocatoria, ya que partía de la calificación de las relaciones entre Cuba y la Unión Soviética bajo el concepto de "intervención extracontinental", sin pruebas suficientes para acreditar la colaboración militar entre la URSS y Cuba. A pesar de la objeción de México, el encuentro de cancilleres de la OEA en Punta del Este, a principios de 1962, declaró que el gobierno "marxista-leninista" de la isla era incompatible con el sistema interamericano. La expulsión de Cuba de la OEA aprobada en enero de ese año, a pesar de las seis abstenciones latinoamericanas, unida a la Alianza para el Progreso que impulsó la administración Kennedy, buscaron el aislamiento hemisférico del gobierno revolucionario, en el momento en que los líderes cubanos despertaban mayores simpatías en la juventud de la región.

En respuesta a la expulsión de la OEA, el gobierno cubano lanzó la segunda Declaración de La Habana, en la que llamaba abiertamente a la colaboración militar entre la Unión Soviética y Cuba para defenderse de una eventual agresión norteamericana. Ése sería el origen de la crisis de los misiles en el Caribe, que se viviría en los últimos meses de 1962. Con el distanciamiento entre La Habana y Moscú, que siguió al pacto Kennedy-Jrushov, el proyecto cubano de financiar, adiestrar y diseñar guerrillas en América Latina adquirió su mayor impulso, provocando la fractura o el congelamiento de relaciones con prácticamente todos los gobiernos de la región, menos México.

En 1963, con apoyo de La Habana, se crea en Venezuela el Frente de Liberación Nacional, una alianza de diversas organizaciones (las Fuerzas Armadas de Liberación Nacional, el Movimiento de Izquierda Revolucionaria —MIR—, el Partido Comunista…) y líderes (Fabricio Ojeda, Douglas Bravo, Pompeyo Márquez, Teodoro Petkoff, Américo Martín…) en un frente guerrillero común, que hostilizaría al gobierno de Rómulo Betancourt en los años siguientes. En Colombia, las guerrillas del Ejército de Liberación Nacional (ELN) de Fabio Vázquez Castaño y el cura Camilo Torres, y las Fuerzas Armadas Revolucionarias de Colombia (FARC) de Manuel Marulanda Vélez, recibirían también apoyo logístico del gobierno cubano.

En Centroamérica, la guerrilla que mayor impulso recibió de La Habana en aquellos años fue la guatemalteca. Los comandantes Marco Antonio Yon Sosa, Luis Augusto Turcios Lima y César Montes, de las Fuerzas Armadas Rebeldes (FAR) y el Movimiento Revolucionario 13 de Noviembre, intensificaron su lucha contra los regímenes de Manuel Ydígoras Fuentes y Enrique Peralta Azurdia. En los Andes, la guerrilla de mayor protagonismo, a mediados de los años sesenta, era la peruana, de Luis de la Puente Uceda y Guillermo Lobatón, del MIR, que combatieron contra el régimen de Fernando Belaúnde Terry, aunque perdieron fuerza a fines de la década con la llegada al poder del gobierno nacionalista de Juan Velasco Alvarado.

Otra guerrilla originada en la conexión habanera o, específicamente, guevarista, fue la emprendida en la selva de Orán, Salta, al noroeste de Argentina, por el periodista Jorge Ricardo Masetti, fundador de la agencia mediática cubana Prensa Latina, que entre 1963 y 1964 creó el Ejército Guerrillero del Pueblo en esa zona. En abril de 1964, la guerrilla fue desmantelada y Masetti desapareció en la selva de Orán. El foco guerrillero, que se había creado en Bolivia, era parte de un proyecto mayor, encabezado por el Che Guevara, de articular las guerrillas andinas y las del Cono Sur desde el centro geográfico del continente. Luego de la fallida experiencia del Congo, llevada a cabo durante buena parte del año 1965, Guevara se trasladó a las selvas de Bolivia para, desde allí, encabezar la revolución sudamericana.

En un mensaje que envió a la Conferencia Tricontinental, convocada en La Habana a principios de 1966 por la Organización de Solidaridad de los Pueblos de Asia, África y América Latina (OSPAAAL), Guevara mencionó a todos los movimientos guerrilleros que habían estallado en la región, como parte de un mismo proyecto revolucionario continental. Entre 1966 y 1967, los años de preparación y ejecución de la guerrilla boliviana, el gobierno cubano y, especialmente, Fidel Castro se mostraron abiertamente partidarios del apoyo a la lucha armada en América Latina y el Caribe, y en algunos foros, como el de la Organización Latinoamericana de Solidaridad (OLAS), el primer ministro cuestionó la falta de compromiso de la URSS y las "democracias populares" de Europa del Este con la lucha antiimperialista en América Latina. Con la muerte de Guevara en Bolivia, en octubre de 1967, el apoyo habanero a las guerrillas latinoamericanas no desapareció, pero sí entró en una nueva fase, mejor negociada con Moscú.

El gobierno revolucionario alentó la radicalización marxista-leninista de movimientos guerrilleros urbanos o rurales, de origen populista o nacionalista, como el de los peronistas argentinos encabezados por John William Cooke y los Uturuncos en Santiago del Estero y Catamarca o la Acción Liberadora Nacional de Carlos Marighella, en Brasil, que originalmente se movilizó contra el golpe militar que derrocó al varguista João Goulart en 1964. Otras guerrillas radicales, como el Movimiento de Izquierda Revolucionaria (MIR) chileno de Miguel Enríquez o el argentino Ejército Revolucionario del Pueblo (ERP) de Mario Roberto Santucho y Enrique Gorriarán, se inspiraron en el ejemplo cubano para hostilizar democracias o dictaduras sudamericanas hasta mediados de los años setenta. En países más cercanos geográficamente, como Venezuela y República Dominicana, el gobierno revolucionario llegó a enviar expediciones armadas contra la dictadura de Rafael Leónidas Trujillo y contra los gobiernos elegidos de Rómulo Betancourt y Raúl Leoni, de Acción Democrática.

En los años setenta, el gobierno cubano respaldó guerrillas urbanas como las de los montoneros argentinos y los tupamaros uruguayos y, sobre todo, movimientos armados centroamericanos en Nicaragua y El Salvador. Pero en esos años, la Habana también comenzó a restablecer relaciones diplomáticas con gobiernos de izquierda o derecha en América Latina, como el Perú de Velasco Alvarado, el Chile de Salvador Allende, la Venezuela de Carlos Andrés Pérez y Rafael Caldera, la Colombia de Alfonso López Michelsen, Panamá en tiempos de Omar Torrijos o la propia dictadura militar argentina. La reducción, por parte de la isla, de su apuesta por la izquierda guerrillera en la zona de Centroamérica y el Caribe era, a la vez, consecuencia de la acumulación de tensiones con la hegemonía de Estados Unidos en esa región, del nuevo pragmatismo derivado del entendimiento con la socialdemocracia europea y latinoamericana y del respeto a la línea de "coexistencia pacífica" promovida por Moscú.

ENTRE EL CHE Y MOSCÚ

El año 1963, llamado de "la Planificación", sería el arranque de una prolongada fase experimental y zigzagueante del socialismo cubano, en el contexto de las grandes transformaciones culturales y políticas de aquella década. En la dirigencia revolucionaria, como hemos visto, la negociación de la crisis de los misiles había provocado reclamos e insatisfacciones con la actuación de Moscú. El Che Guevara, tal vez la figura central del debate económico e ideológico cubano de aquellos años, había criticado desde 1962, en la revista *Cuba Socialista*, los mecanismos de comercio exterior que predominaban en el campo socialista y que obligaban a Cuba a pagar en divisas las materias primas procedentes de la URSS y otros países del bloque soviético. También Guevara, como luego el propio Castro, había cuestionado la manera estrictamente subordinada al Partido Comunista de la Unión Soviética (PCUS) con que Aníbal Escalante, el primer líder de las Organizaciones Revolucionarias Integradas (ORI), condujo la formación del partido único en Cuba.

Desde los primeros meses de 1963, a la vez que se echaba a andar la transformación de las ORI en otra variante del partido único, el Partido Unido de la Revolución Socialista (PURS), estalló dentro de la nueva clase política de la isla un debate teórico sobre distintas formas de planificación de la economía nacional que, como veremos, también implicaban diversas maneras de entender el socialismo en política, en cultura y, por supuesto, en las relaciones internacionales. El debate se avivó por los primeros síntomas de una recesión económica, expresada por una zafra de 3 800 000 toneladas de azúcar, la más baja en 20 años de historia de Cuba y casi la mitad de las producidas, anualmente, entre 1957 y 1961. Es un debate que, en efecto, no fracturó a la clase política cubana, muy cohesionada en torno al liderazgo de Fidel Castro, pero que tuvo consecuencias evidentes para la historia inmediata de la Revolución.

La discusión tuvo lugar, fundamentalmente, en dos revistas, *Nuestra Industria, Revista Económica*, publicación del Ministerio de Industrias, que encabezaba el Che Guevara, y *Cuba Socialista*, una publicación mensual, fundada en 1961 por un grupo de intelectuales del viejo PSP (Blas Roca, Carlos Rafael Rodríguez, Fabio Grobart, Juan Marinello, Lionel Soto…), que incluyó en su consejo de redacción, desde los primeros números, al presidente Osvaldo Dorticós y al primer ministro, Fidel Castro. Aunque el Che Guevara no era miembro de ese consejo de redacción, llegó a publicar, también, en *Cuba Socialista*, que claramente se presentaba como la plataforma teórica del naciente partido único. Pero *Cuba Socialista*, desde su fundación, se mostró partidaria del modelo de dirección de la economía cubana, basado en el cálculo económico y la autogestión empresarial, defendido por Carlos Rafael Rodríguez desde el año 1960.

Como ministro de Industrias y presidente del Banco Nacional, el Che Guevara intentó desarrollar un modelo de planificación económica diferente, a la altura de 1963, tras la frustración de los que luego llamó "días luminosos y tristes de la crisis del Caribe". Cuando se aprueba la Ley Orgánica de Financiamiento Presupuestario, ese modelo parecía contar con el apoyo de Fidel Castro. El modelo de Guevara partía de una crítica a los elementos de mercado que la economía del socialismo real estaba desarrollando, desde la Nueva Política Económica de Lenin a principios de los veinte en la Unión Soviética que, su juicio, había sido errónea. El entonces ministro de Comercio Exterior, comandante Alberto Mora, hijo del asaltante al Palacio Presidencial, Menelao Mora, que desde 1961 había reconocido que 75% del intercambio comercial de la isla era con el campo socialista y debía ajustarse la economía doméstica a esa realidad, escribió una refutación del modelo de Guevara en la revista *Comercio Exterior*.

Guevara reprodujo el artículo de Mora en la revista de su propio ministerio, *Nuestra Industria, Revista Económica*, y le agregó una réplica en la que cuestionaba la idea de que la ley del valor tuviera plena vigencia en las transiciones socialistas y que, por tanto, no había que utilizar los instrumentos de la economía de mercado para construir el socialismo. A la polémica se fueron sumando algunos de los principales ministros o funcionarios del gabinete económico, el de Hacienda, Luis Álvarez Rom, a favor del financiamiento presupuestario, defendido por el Che, y el nuevo presidente del Banco Nacional de Cuba, Marcelo Fernández Font, a favor del cálculo económico y la autogestión empresarial, sostenido por la corriente prosoviética. También intervinieron otros economistas o funcionarios cubanos (Miguel Cossío, Joaquín Infante Ugarte, Mario Rodríguez Escalona, Alexis Codina) y hasta teóricos marxistas occidentales como el francés Charles Bettelheim, en contra del proyecto de Guevara, y el trotskista belga Ernest Mandel, a favor de la idea de darle más dimensión a los estímulos morales en el proceso de transición socialista, pero con algunas reticencias al abandono de la ley del valor.

La discusión, que por muchos años subvaloró la historiografía cubana y que, por suerte, ha sido rescatada en el volumen *El gran debate. Sobre la economía cubana* (Ocean Sur, 2005), tan solo por el hecho de involucrar a tres ministros del gobierno revolucionario tiene un peso indiscutible en la evolución de la política económica y las relaciones internacionales de Cuba. El debate, como decíamos, coincide con la transformación de las ORI en el PURS, personalmente impulsada por Raúl Castro y el ex dirigente del Partido Socialista Popular, Blas Roca. Justo en aquel momento se producen algunas aproximaciones a China, que estaba enfrentándose a la URSS por el pacto contra la proliferación de armas nucleares con Washington, como se confirma en un convenio de colaboración agrícola firmado por Antonio Núñez Jiménez en ese país asiático.

El acercamiento a China es breve, ya que a principios de 1964, con el largo y mediático viaje de Fidel Castro a la URSS, donde finalmente apoya el tratado contra la proliferación de armas nucleares, pieza clave de la doctrina de la "coexistencia pacífica" entre ambos bloques, y logra que Jrushov exponga públicamente su apoyo a las cinco condiciones planteadas por La Habana para un entendimiento con Washington, la relación con los soviéticos salió a flote. La reconciliación con Moscú converge, a su vez, con una recuperación de la iniciativa por parte de los partidarios de un modelo de planificación, basado en el cálculo económico, como el defendido por Rodríguez, quien a la sazón era presidente del Instituto Nacional de la Reforma Agraria.

Una segunda Ley de Reforma Agraria, en octubre de 1963, que expropió fincas de más de cinco caballerías de tierra y apostó resueltamente por la colectivización de inspiración soviética, ya reflejaba el giro que comenzaba a dar la política económica a favor de la línea prosoviética. La nueva legislación agraria ponía muchas expectativas en la importación de maquinaria y tecnología soviética, que podrían pagarse con azúcar si se lograba aumentar la producción con incentivos. A su regreso del viaje a Moscú, Castro anunció en una larga conferencia por televisión que un nuevo convenio con la URSS facilitaría el trueque de equipos agro-industriales por azúcar, aunque por un monto anual de poco más de dos millones de toneladas, menos de la mitad de lo acordado en el convenio anterior, dado el bajo rendimiento de las zafras. No obstante, el primer ministro aseguraba, premonitoriamente, que con el nuevo arreglo, la isla estaría produciendo, para 1970, 10 millones de toneladas de azúcar.

Si las dos leyes de Reforma Agraria decretadas en 1958 y 1959 se inspiraban en una sólida tradición de pensamiento agrario cubano, que se remontaba a textos de reformistas como José Antonio Saco y el conde de Pozos Dulces, en el siglo XIX, y de

nacionalistas del siglo XX, como Ramiro Guerra y el propio Raúl
Cepero Bonilla, el ministro de Comercio que acababa de morir en
un accidente aéreo en los Andes, la nueva ley de 1963 encontraba
su justificación en los referentes centralistas de la planificación
soviética. Sin llegar a los extremos de la colectivización forzosa
de Stalin a fines de los años veinte, la ley ponía en práctica la idea
de un plan único para toda la economía nacional, desarrollada
por los comisariados de agricultura en la Unión Soviética.

En 1964 tiene lugar otro capítulo del llamado "proceso al
sectarismo", que había arrancado en 1962, cuando Aníbal Escalante fue destituido como líder de las ORI por favorecer exclusivamente a la corriente de los viejos comunistas cubanos. Desde
los primeros años de la Revolución, varios dirigentes del Directorio Revolucionario, como los comandantes Faure Chomón y
Guillermo Jiménez, habían solicitado el arresto del ex militante
de la Juventud Socialista Marcos Rodríguez, a quien imputaban
la delación de cuatro asaltantes de Palacio Presidencial (Fructuoso
Rodríguez, Joe Westbrook, Juan Pedro Carbó Serviá y José Machado), que fueron ejecutados en un apartamento de La Habana
días después del asalto por el jefe policiaco de Batista, Esteban
Ventura Novo.

En el juicio a Rodríguez, al que asistió Fidel Castro como
testigo y, como era ya costumbre, terminó actuando como fiscal,
emergió una trama lateral, que estaba siendo investigada desde
1963. Se acusaba también a importantes líderes del viejo Partido
Socialista Popular, Joaquín Ordoqui y Edith García Buchaca, de
haber protegido al delator, conociendo de la delación, antes y
después del triunfo de la Revolución. A esa acusación se sumó
otra de mayor peso, en el sentido de que Ordoqui había actuado
como agente de la CIA, desde los tiempos de su exilio en México
y que, probablemente, lo habría seguido siendo después de la
Revolución, comprometiendo información militar de la isla, desde su puesto como viceministro primero de las Fuerzas Armadas.
Un estudio reciente de Miguel Barroso, *Un asunto sensible* (2009),

sostiene persuasivamente la tesis de que la implicación de Ordoqui con la CIA fue una operación de la propia CIA para dividir a la
dirigencia revolucionaria.

Marcos Rodríguez fue fusilado y Ordoqui y García Buchaca
destituidos de sus importantes puestos en las Fuerzas Armadas
y el Consejo Nacional de Cultura, y condenados de por vida a
arresto domiciliario. En el contexto de la trabajosa formación del
partido único, la purga de esos líderes comunistas fue interpre-
tada, por algunos, como una satisfacción de la dirigencia revolucionaria a las otras corrientes internas: el Directorio Revolucionario, el Movimiento 26 de Julio y la creciente tendencia de
marxistas guevarianos, que comenzaba a perfilarse. Sin embargo, una revisión atenta de la historia política de los años 1964 y
1965 muestra que la purga no alteró sustancialmente el acuerdo
con Moscú. En octubre de 1964, por ejemplo, justo en los días
en que Nikita Jrushov era reemplazado por Leonid Brezhnev, el
presidente Dorticós viajó a El Cairo a una reunión de los No Alineados y, como era de rigor, hizo luego una escala en Moscú, donde despachó con la troika gobernante, el propio Brezhnev, Kosyguin y Podgorny.

El año terminó con un discurso muy prosoviético de Fidel
Castro, en el que anunció que en 1965 se formaría finalmente el
nuevo partido y se aprobaría una constitución. Es entonces cuando Guevara, luego de una espectacular visita a Nueva York donde lanzó un discurso fuertemente marxista y anticolonial en la
Asamblea General de la ONU, comienza un viaje por países africanos y asiáticos (Argelia, Ghana, Guinea, Tanzania, el Congo belga), que culmina con una encendida arenga tercermundista y
descolonizadora, el 24 de febrero de 1965, en el II Seminario de
Solidaridad Afro-Asiática, punto de partida de lo que al año siguiente sería la Organización de Solidaridad con los Pueblos de
Asia, África y América Latina (OSPAAAL), que organizó la Conferencia Tricontinental en La Habana en enero de 1966. Si en la
comparecencia en la ONU, Guevara había celebrado la solida-

ridad de la URSS con la causa tercermundista, ya en esta intervención, muy cercana a las ideas de Frantz Fanon, cuestionaba abiertamente el papel de Moscú y los partidos comunistas en los movimientos de liberación nacional.

La mayoría de los biógrafos de Guevara sostiene que a su regreso a La Habana, el guerrillero argentino chocó con la dirigencia prosoviética insular, lo cual explicaría no sólo su crítica cada vez más desinhibida al socialismo real en textos escritos en esos meses, como su célebre ensayo *El socialismo y el hombre en Cuba* (1965), sino su acelerado involucramiento en dos proyectos guerrilleros, el del Congo, durante buena parte de ese año, y el de Bolivia, entre 1966 y 1967. Desde aquel regreso a La Habana, en marzo de 1965, Guevara desaparece de los actos públicos oficiales y abandona el cargo de ministro de Industrias, por lo que permanece al margen de la formación del nuevo partido, cuyo Comité Central será presentado en octubre de ese año en un gran acto presidido por gigantescos retratos de Marx, Engels, Martí y Maceo. El Secretariado de dicho Comité Central reflejaba un entendimiento básico entre líderes históricos del 26 de Julio, como Fidel y Raúl Castro y Armando Hart, quien había sido reemplazado en el Ministerio de Educación por José Llanusa y ahora era secretario de Organización del nuevo partido, y figuras clásicas del viejo comunismo como Blas Roca y Carlos Rafael Rodríguez.

El partido se llamaría, finalmente, Partido Comunista de Cuba (PCC), tal como se llamaba la gran mayoría de las organizaciones leales a Moscú, en aquellos años, en América Latina. Cuba, según los soviéticos, debía desempeñar un papel rector dentro de la izquierda comunista latinoamericana, que apostaba en muchos casos a la lucha pacífica y electoral, como lo había hecho el Partido Socialista Popular, antecedente del actual PCC, durante 20 años. En los años siguientes, la dirigencia cubana debió maniobrar cuidadosamente la tensión generada entre los proyectos del nacionalismo y la descolonización radical del Tercer Mundo,

alentados en la Conferencia Tricontinental habanera, a la cual
Guevara mandó un mensaje inspirador, y la estrategia soviética
hacia América Latina, Asia y África, en el contexto de la doctrina
de la "coexistencia pacífica" de la URSS y la guerra de Viet Nam.
Mientras la juventud tercermundista y occidental se lanzaba a la
revolución, los jerarcas soviéticos se entrevistaban con el presidente Johnson.

En otro par de reuniones de la Nueva Izquierda, convocadas
por la Organización Latinoamericana de Solidaridad (OLAS) en
La Habana, en 1966 y 1967, Castro se hizo eco de las críticas de
Guevara a Moscú, por su falta de apoyo a los vietnamitas. Para
complicar aún más el panorama geopolítico del gobierno cubano, las relaciones de La Habana con China se deterioran por la
misma razón, al extremo de que Fidel Castro incluso se refiere a
Mao Tse-tung como "monarca absoluto", "fascista" y "viejo se-
nil". Por entonces, La Habana llega al momento de máximo involucramiento con las guerrillas latinoamericanas, que manten-
drá por varios años, lo cual complicaba extraordinariamente la
proyección del naciente Partido Comunista de Cuba dentro del
campo socialista. Castro había enfrentado la ausencia de Guevara en el Secretariado y el Comité Central del nuevo partido le-
yendo la famosa carta de despedida, en la que el Che renunciaba
a su cargo de ministro y a su grado de comandante y anunciaba
su decisión de ir a hacer la revolución en otra parte. Pero los dos
proyectos guerrilleros en los que intervino y, sobre todo el segundo, el boliviano, no dejaban de ser empresas cubanas.

Durante casi dos años, entre el verano de 1966, cuando el
canciller Alexei Kosyguin hace su penúltima visita a la isla, y el
verano de 1968, cuando el gobierno cubano apoya la intervención soviética en Checoslovaquia, las relaciones entre La Habana
y Moscú cayeron a su nivel más bajo desde el triunfo de la Revolución. A medida que la presencia del Che Guevara en Bolivia se
volvía inocultable, el gobierno de la isla se veía obligado a no
disimular su respaldo a las guerrillas latinoamericanas. Era pre-

ciso defender la vía revolucionaria en foros tan autorizados del comunismo internacional, como el XXXI Congreso del PCUS, y Armando Hart sería el encargado de hacerlo. Señal inequívoca de la frialdad que alcanzó el vínculo entre la URSS y Cuba en esos años fue la ausencia del presidente Osvaldo Dorticós y del primer ministro Fidel Castro, en la importante celebración del 50 aniversario de la Revolución de Octubre, a principios de noviembre de 1967, en Moscú.

Antes de su partida al Congo, el Che Guevara escribió una larga carta a Fidel Castro —no la de despedida que se leyó ante el Comité Central del nuevo partido— en la que explicaba al jefe de la Revolución, en un lenguaje llano, su sistema de financiamiento presupuestario, como una forma de acelerar el fin de las relaciones monetario-mercantiles en Cuba y avanzar aceleradamente al comunismo. El documento, que ahora se conoce como "Algunas reflexiones sobre la transición socialista" (1965), es bastante revelador de las pocas posibilidades prácticas que el propio Guevara veía en aquel sistema de planificación de la economía. El escrito, sin embargo, tenía tono de testamento ideológico y no es improbable que Fidel Castro intentara serle leal por un tiempo.

El economista Carmelo Mesa Lago, en su *Breve historia económica de la Cuba socialista* (1994), observa que cierta adopción y hasta una radicalización de la política guevarista fue emprendida por Fidel Castro entre 1966 y 1970. Todavía en 1966, el modelo de planificación central, cálculo económico y autogestión empresarial, concebido por los economistas prosoviéticos, había sobrevivido, aunque con la compensación de algunas prácticas sectoriales de la estrategia guevarista. Tres años después de la muerte de Guevara en Bolivia, la idea de la "transición socialista" que se volvería hegemónica en Cuba será la concebida por Carlos Rafael Rodríguez y otros economistas de la misma escuela. El origen de ese cambio de rumbo está relacionado con la experiencia de la "Ofensiva Revolucionaria" y el fracaso del gran proyecto de movilización de la zafra de los 10 millones en 1970.

LA "OFENSIVA REVOLUCIONARIA"

1968 se inició en Cuba bajo el peso del duelo por la muerte del Che Guevara en Bolivia, en octubre del año anterior. Si 1967 había sido nombrado "Año del Viet Nam Heroico", éste se llamaría "Año del Guerrillero Heroico". La escasez y el racionamiento se habían intensificado en la isla, pero, a pesar de todo, la capacidad de movilización del gobierno seguía siendo indudable. La vida cultural era intensa en aquella Habana. El año anterior, el ex director del periódico *Revolución*, Carlos Franqui, había organizado el Salón de Mayo, donde mostró parte del mejor arte occidental de aquella década. En enero del 68 se celebró el Congreso Cultural de La Habana, al que asistieron cientos de intelectuales latinoamericanos y europeos de la Nueva Izquierda, identificados con las ideas de Gramsci, Sartre y Guevara, que clamaron por una cultura crítica, ajena a los dogmas liberales y soviéticos.

Aquella atmósfera vanguardista y libertaria en la cultura ocultaba, sin embargo, la ascendente intransigencia ideológica que el nuevo Estado socialista aplicaba a sectores de la sociedad, denominados con categorías psicopatológicas como las de "enfermitos", "antisociales", "parásitos", "gusanos", "diversionistas" o "desviados". En esos años llegaron al apogeo mecanismos e instituciones de depuración y regeneración moral de la ciudadanía, inspirados en la idea del "hombre nuevo" desarrollada por el Che Guevara en sus escritos, que segregaron social e ideológicamente a comunidades de religiosos, homosexuales, disidentes y afrocubanos. Fueron aquellos, también, los años en que comenzó la descalificación oficial de la obra de escritores e intelectuales dentro de la isla, como Heberto Padilla o Reinaldo Arenas, o exiliados como Carlos Franqui y Guillermo Cabrera Infante, quienes, en una nómina cada vez más abultada, se convertirían en las "bestias negras" de la cultura oficial, provocando en casos como los de Padilla y Arenas, el encarcelamiento y, sobre todo, el exilio.

Miles de personas, englobadas en esas categorías de "antisociales" (católicos, protestantes, testigos de Jehová, santeros, homosexuales, lesbianas, *fans* de la música norteamericana, opositores o ciudadanos que habían solicitado la salida legal del país) fueron recluidos en las Unidades Militares de Ayuda a la Producción (UMAP), granjas de trabajo concebidas como centros de producción agropecuaria, pero también como instituciones que corregirían aquellas "desviaciones" morales. En la cultura se vivió una contradictoria mezcla de proyectos heterodoxos y revisionistas de la izquierda, como la importante revista de ciencias sociales *Pensamiento Crítico* (1967-1971), y un ascenso indetenible del dogmatismo, la ortodoxia, la censura y la hegemonía del marxismo-leninismo ortodoxo, de corte soviético, que llamaba a combatir el "revisionismo de izquierda".

Oficialmente, la llamada "Ofensiva Revolucionaria" comenzó el 13 de marzo de 1968, con un discurso de Fidel Castro, en la escalinata de Universidad de La Habana, dirigido a la juventud cubana. Desde principios de año, la prensa internacional había anunciado un nuevo acuerdo comercial entre la URSS y Cuba, que enfatizaba algo que había molestado mucho al Che Guevara desde principios de los sesenta: el cobro de intereses del crédito de cientos de millones de dólares por concepto de saldo negativo. La idea de que Cuba acumulaba una deuda con Moscú, similar a la deuda externa de los países latinoamericanos con las potencias occidentales, irritaba soberanamente a los dirigentes cubanos. Ése es el contexto en que se produce una nueva purga de viejos comunistas cubanos. Aníbal Escalante y 32 simpatizantes de la línea del viejo partido y del modelo soviético, entre los que se encontraban algunos de los fundadores del Movimiento de los Derechos Humanos, como Ricardo Bofill, fueron acusados de conspiración y encarcelados. El proceso no se llamó, esta vez, al "sectarismo" sino a la "microfracción", en alusión a la pequeñez del grupo.

En su discurso del 13 marzo, Castro retomaba la idea del Che sobre la primacía de los "estímulos morales" sobre los "estímulos materiales" del trabajador y llamaba a la población a sumarse a grandes proyectos económicos colectivos como las zafras azucareras y el "cordón de La Habana", un gran proyecto de siembra de café en los llanos habaneros, que varios expertos habían desaconsejado. La idea era movilizar la fuerza de trabajo nacional a favor de la producción gigantesca de bienes muy cotizados en el mercado socialista, con el fin de obtener los ingresos que necesitaba el Estado para mantener su amplia dotación de derechos sociales. No renunciaba el gobierno cubano a su inserción en la red comercial del campo socialista, sino que optaba por explotarla al máximo, por medio de una saturación de productos básicos como el azúcar o el café.

En aquel discurso, Castro anunciaba también un nuevo y radical ciclo de estatizaciones. Ya en 1967, el gobierno revolucionario había confiscado las parcelas mínimas de los campesinos dentro de las granjas del Estado, con el fin de estimular el crecimiento de las cooperativas. Ahora la estatización se extendería a la pequeña empresa urbana, de manera abrumadora. La nacionalización se propagó ya no a bares o cafeterías, sino a puestos de comida callejera, reparadores de calzado y equipos electrodomésticos, sastres, costureras, lavanderías, barberías, tiendas y cuanto negocio familiar hubiera en las principales ciudades de la isla. El control del Estado sobre la economía —y sobre la sociedad que producía esa economía— fue total. Probablemente no haya habido en el campo socialista otra experiencia de estatización similar.

El modelo de planificación de la economía, creado en los primeros años de la Revolución, sufrió entonces su mayor desajuste. El plan central concebido por la Junta de Planificación fue reemplazado por microplanes sectoriales y lo que el economista Carmelo Mesa Lago ha llamado "miniextraplanes". Con una conducción personalizada de la economía, puesta en función de grandes movilizaciones productivas, la generación de productos básicos cayó hasta sus niveles más bajos desde el triunfo de la Revolución. El financiamiento de la economía se hizo por la vía presupuestaria, limitando al mínimo la autonomía de las empresas. Dado que la prioridad era el aumento cuantitativo de la producción estratégica, la eficacia y la calidad, tanto de los productos para el comercio socialista como de lo poco que se producía para el mercado interno, perdieron prioridad.

Los precios, naturalmente, se congelaron, la subvención del Estado creció, al igual que el exceso de circulante, por lo que la moneda perdió valor. Las movilizaciones de masas para la producción estratégica de azúcar y café provocaron un evidente ausentismo, agravado por la pérdida de liderazgo de los sindicatos. Debido a que esas movilizaciones eran encabezadas por las organizaciones de masas y por el propio gobierno, el papel de los sindicatos en la distribución de incentivos y salarios se redujo. Se eliminaron los bonos de producción, los pagos de horas extras, las diferencias salariales desaparecieron. Esta gestión de comando de la economía intentó ser compensada por una ampliación de servicios sociales gratuitos, que favoreció el igualitarismo, pero, también, los mecanismos de racionamiento del consumo.

Cuba vivió en esos años su mayor aislamiento internacional. Al diseñar y propiciar guerrillas en América Latina, la mayoría de los gobiernos de la región se enemistó con La Habana. La disputa con China, que se arrastraba desde 1966, redujo el comercio con esa nación asiática. La propia relación con los soviéticos, aunque se mantuvo a flote, implicó no sólo la confirmación de la deuda sino algo más costoso para Cuba: la reducción del suministro de petróleo entre 1967 y 1968. El impacto de esa reducción de la trama internacional del comercio cubano, unida al giro radical en la política cubana, se reflejó en algunos indicadores básicos. La tasa del producto social global, que a mediados de los sesenta era de 4.0% y hasta 7.3%, descendió a 1.6% en 1968 y a números negativos: –1.3%, en 1969. La balanza comercial, que estaba en números negativos desde 1962, –12.3 millones de dólares, llegó al tope de toda la década del sesenta, con –450.9 millones de dólares en 1968 y –555.0 en 1969.

Una de las consecuencias de aquella maniobra de timón, en la política económica, fue el regreso de la isla a la dependencia de la producción y comercialización del azúcar. Ésta sería una constante a partir de entonces, como resultado de la plena inserción de la economía cubana en el mercado socialista durante los años setenta. Pero entre 1967 y 1971, la dependencia del producto social global del azúcar llega a su máximo histórico, en toda la historia de Cuba desde 1959. Esa concentración afectó sensiblemente la productividad en otras áreas básicas para la alimentación del país. El café, por ejemplo, a pesar de la movilización del "cordón de La Habana", cayó de 42 000 toneladas métricas en 1960 a 24 000 en 1965 y a 20 000 en 1970. La carne de cerdo, de 48 000 en 1965 a 15 000 en 1970, un descenso igual de dramático que el de los textiles, los zapatos y otros productos.

No sólo economistas cubanos en Estados Unidos, como Carmelo Mesa Lago y Jorge Pérez López, también historiadores y economistas de la isla, como José Luis Rodríguez, en su *Desarrollo económico de Cuba* (1990), y Oscar Zanetti, en la *Historia mínima de Cuba* (2013), han narrado críticamente los efectos de aquellas políticas económicas. La propia dirigencia de la Revolución pareció advertir la equivocación desde 1968, como se observó en algunas aproximaciones al modelo económico de la República Democrática Alemana en ese año. También en el verano de 1968, en contra de lo esperado, Fidel Castro apoyó la invasión soviética de Checoslovaquia, aunque reclamando de la

URSS el mismo compromiso con los socialismos del Tercer Mundo, como el vietnamita o el cubano, amenazados y agredidos por Estados Unidos. El gesto, lo mismo que un viaje de Carlos Rafael Rodríguez, para entonces vicepresidente de la República, a Moscú, en el verano del año siguiente, a la Conferencia de Partidos Comunistas, fueron leídos como señales de una reconciliación con la URSS.

A pesar de la concentración de la economía cubana en el azúcar, el rendimiento de la zafra de 1969 cayó nuevamente por debajo de los cinco millones. La meta trazada por Fidel Castro desde años atrás era alcanzar los 10 millones en 1970, por lo que ese resultado desató una poderosa ofensiva para lograr aquel objetivo. El país entero se movilizó en el primer semestre de 1970, llamado justamente "Año de la Zafra de los 10 millones", con el fin de alcanzar ese propósito. La producción fue, sin embargo, de 8 737 600 toneladas de azúcar y Fidel Castro pronunció un discurso asumiendo la responsabilidad de haber promovido una política equivocada, el 26 de julio de ese año.

Castro empezó el discurso agradeciendo la presencia de delegaciones de los principales países del bloque soviético. Luego advirtió que al inicio de una nueva década, la población cubana había ascendido a 8 256 000 habitantes y que ese aumento demográfico demandaba políticas concretas de satisfacción del consumo. La situación de la productividad, sin embargo, era deplorable y predominaba la ineficiencia. En casi todos los sectores, menos en el del azúcar, incluyendo el de los servicios públicos, se había producido un deterioro inocultable. La responsabilidad de los dirigentes y la suya, en particular, debía ser asumida: "nosotros los dirigentes de la Revolución, hemos costado caros en el aprendizaje. Estamos pagando caro una buena herencia, la herencia en primer lugar de nuestra propia ignorancia".

En los meses que siguieron a aquella autocrítica, Fidel Castro transmitió de diversas maneras que algunas de las ideas del Che Guevara, como la de la construcción paralela del socialismo y el comunismo o la del abandono de la ley del valor durante la transición socialista, eran inaplicables. Había llegado el momento de aceptar en gran escala la asesoría de técnicos soviéticos en todas las ramas y de regresar al sistema de planificación diseñado en los primeros años de la Revolución, basado en el cálculo económico y la autogestión financiera. En diciembre de 1970, una delegación de funcionarios de los principales ministerios económicos, encabezada por Carlos Rafael Rodríguez, se trasladó a Moscú para dejar instalada una Comisión Cubano-Soviética de colaboración económica, científica y tecnológica.

Comenzaba a producirse el giro definitivo de la política económica cubana hacia el modelo soviético. Dicho giro debería acompañarse de una reorganización del Estado y su punto de partida sería, una vez más, la Central de Trabajadores de Cuba. En pocos años se crearon 23 nuevos sindicatos perfectamente integrados a dicha Central, que se convertirían en los resortes estatales de la nueva política económica. En el ámbito internacional, especialmente el latinoamericano, la vuelta a la comunidad socialista, encabezada por Moscú, era alentada por la llegada al poder, en Chile, de Salvador Allende y el gobierno de Unidad Popular. Un socialismo por la vía democrática y electoral era algo inédito en América Latina. Un desafío extraordinario a la tesis guevarista del foco guerrillero como motor de la revolución, pero también una oportunidad para restablecer lazos con la región e incorporar o presionar el proyecto de Salvador Allende para que se radicalizara, como pareció hacer Fidel Castro en su largo viaje a Chile a fines de 1971.

Ya a fines de 1970 estaba en La Habana el nuevo embajador del gobierno de Salvador Allende, Jorge Edwards, quien impulsó la firma de un tratado comercial entre Chile y Cuba. A partir de entonces comenzará un proceso de normalización de relaciones entre Cuba y América Latina, que se reforzará a lo largo de la década, a medida que el gobierno cubano fue reduciendo, gradualmente, su apoyo a las guerrillas latinoamericanas. Varios gobiernos de América Latina en aquellos años, como los de Juan Velasco Alvarado en Perú y José María Velasco Ibarra en Ecuador se acercaron a Cuba. La normalización de relaciones se extendió a buena parte de Europa Occidental, generando un clima favorable a un entendimiento entre Washington y La Habana. Durante la primera mitad de los setenta, en Cuba se inició un proceso de institucionalización que culminaría en 1976 con la adopción de la nueva Constitución y la instalación de la Asamblea Nacional del Popular, que en la práctica implicó la vuelta al gobierno representativo, luego de 17 años de Revolución. A partir de entonces se producirá el periodo más largo de crecimiento económico y continuidad en las políticas públicas de la Cuba revolucionaria. Es un periodo caracterizado por la institucionalización del cambio social, la subordinación del liderazgo a una racionalidad más burocrática que carismática y la inmersión de la isla en el mercado soviético.

UN CAMBIO CULTURAL

Durante la década que siguió al triunfo de la Revolución en 1959, la sociedad cubana y su cultura cambiaron radicalmente. Las políticas igualitarias y de acceso masivo a derechos sociales, emprendidas por el gobierno revolucionario, alteraron la vida cotidiana y las formas de producción cultural en la isla. Antes de la llegada de los revolucionarios al poder, la vida cultural en Cuba era intensa y de altísima calidad, tanto en sus expresiones populares como en sus modalidades más vanguardistas. Esa calidad se mantuvo luego de la Revolución, pero la frontera entre lo culto y lo popular se volvió más borrosa y el derribo de las jerarquías civiles se dio acompañado del surgimiento de una nueva cultura socialista, con elementos populistas y ortodoxos, alentada por el Estado.

Antes de la Revolución, la población cubana era en su mayoría católica. No inmediatamente después de 1959, pero ya para 1961 y 1962, las relaciones entre el gobierno cubano y la Iglesia católica se volvieron muy tensas por el rechazo del alto clero católico, que en buena medida había simpatizado con la oposición a la dictadura de Batista, a la radicalización comunista. Los obispos cubanos recusaron la declaración del marxismo-leninismo, con su componente ateo, como ideología de Estado, así como los programas de adoctrinamiento que se transmitieron a través de las instituciones culturales y educativas.

El catolicismo perdió fuerza como referente fundamental de la cultura cubana entre los años sesenta y ochenta, cuando comienza a producirse un giro en la materia que se reflejó, finalmente, en la anulación del principio ateo del Estado en la Constitución de 1992. Esa pérdida estaba determinada, también, por el cierre de las escuelas religiosas y por la acelerada incorporación del marxismo-leninismo de matriz soviética en el sistema de las ciencias sociales de la educación media y superior. Ese cambio ideológico fue asimilado y, a la vez, resistido por la cultura popular, el campo intelectual y las artes desde principios de los años sesenta, como puede leerse en las *Polémicas culturales de los 60* (2006), compiladas por Graziella Pogolotti, y en muchos otros debates no reunidos en esa antología.

A la intervención de toda la prensa y los medios de comunicación del antiguo régimen y la clausura de las asociaciones civiles de la cultura prerrevolucionaria —academias, sociedades, clubes, ateneos, círculos...— siguió la creación de las nuevas instituciones culturales de la Revolución, insertadas en el gran aparato del Estado socialista: Unión de Escritores y Artistas de Cuba, Cinemateca de Cuba, Casa de las Américas y el Consejo Nacional de Cultura, con su aparato directivo por áreas artísticas y culturales. El gobierno revolucionario convirtió la compañía de Ballet de Alicia Alonso en el Ballet Nacional de Cuba, dirigido por la bailarina, e inició un ambicioso proyecto de construcción de escuelas de arte en la zona del antiguo Country Club, al oeste de La Habana, que fue encargado a tres importantes arquitectos, el cubano Ricardo Porro y los italianos Roberto Gottardi y Vittorio Garatti. Aunque las escuelas de arte nunca terminaron de construirse, en su recinto se instaló luego el Instituto Superior de Arte.

En Cuba pudo haberse dado la peculiaridad histórica de que una población, en su mayoría católica, fuera introducida masivamente al sistema de ideas y creencias del marxismo-leninismo que predominó en la Unión Soviética y Europa del Este entre los años sesenta y ochenta. Hubo, desde luego, resistencias a esa transmisión de una ideología de Estado desde sus aparatos culturales y educativos. Resistencias que no sólo provenían del propio catolicismo sino de otras corrientes ideológicas dentro de la propia Revolución, críticas de ese tipo de marxismo-leninismo, como el nacionalismo revolucionario, el marxismo guevarista o de socialismos más heterodoxos, cercanos al horizonte de la Nueva Izquierda. En todo caso, una buena parte de la población, sobre todo la más joven, pasó del catecismo católico, la historia sagrada y los textos de manual cívico de la educación pública prerrevolucionaria a los manuales de materialismo dialéctico e histórico de la Academia de Ciencias de la URSS.

Pero no sólo los católicos, también otras comunidades religiosas, étnicas o civiles, como los protestantes, las asociaciones y religiosidades afrocubanas o los masones, que habían crecido notablemente en las últimas décadas republicanas, se vieron constreñidas en su sociabilidad autónoma y su proyección social. La Revolución cubana dio un gran impulso a la visibilidad de la cultura popular, en la música, la danza, el teatro y el folclore, pero, a la vez, acentuó una nueva tendencia a la homogeneidad ideológica y civil de la ciudadanía, por medio de las organizaciones de masas y la política cultural del Estado. Esa homogeneización se hizo sentir, de manera represiva, sobre sectores cosmopolitas de la juventud, seguidores del *rock and roll*, de la música de los Beatles y los Rolling Stones, de la moda —y el modo de vida— de las sociedades occidentales avanzadas, que sufrieron persecución y marginación por supuestos "malos hábitos, extranjerizantes y diversionistas".

En todas las ramas de la cultura, el orden revolucionario impuso un choque entre lo viejo y lo nuevo. En la música, por ejemplo, buena parte de las manifestaciones populares que provenían del son y el danzón, la rumba y la conga, el mambo y el cha cha chá, se mezclaron con el *blues*, el *jazz* y el *rock*, derivando en nuevas modalidades sonoras como las de Pello el Afrokán, Pacho Alonso y sus Pachucos o Juan Formell y Los Van Van, que reemplazaron a las viejas bandas de Benny Moré, quien murió en 1963, Dámaso Pérez Prado, afincado en México, o Bebo Valdés

y Celia Cruz y la Sonora Matancera, que se exiliaron. El bolero
vivió un cambio significativo, cuando el lugar que ocupaban figuras como Olga Guillot, que se exilió, o Bola de Nieve, que murió en 1971, fue ocupado, en buena medida, por el movimiento
del filin (José Antonio Méndez, César Portillo de la Luz, Elena
Burke, Omara Portuondo...). La música más a tono con la nueva ideología de la Revolución, y que luego de algunas tensiones
a principios de los setenta, recibiría todo el apoyo del Estado, fue
el llamado Movimiento de la Nueva Trova (Silvio Rodríguez,
Pablo Milanés, Noel Nicola...) y el Grupo de Experimentación
Sonora del ICAIC, dirigido por Leo Brouwer.

El gobierno revolucionario dio una importancia enorme al
cine y favoreció, desde principios de los sesenta con la creación
del Instituto de Artes e Industrias Cinematográficas (ICAIC), que
dirigió Alfredo Guevara, la producción de un arte fílmico aboca-
do a la legitimación del nuevo orden social y a la defensa de sus
virtudes de cara a la opinión pública occidental. Varios de los
mejores cineastas cubanos (Tomás Gutiérrez Alea, Humberto
Solás, Pastor Vega, Santiago Álvarez...), además de cumplir ese
rol de legitimación, intentaron articular una crítica a la burocra-
cia y el dogmatismo de la experiencia socialista. Los límites de
esa crítica, sin embargo, quedaron claramente trazados con la
censura del film *PM*, de Orlando Jiménez Leal y Sabá Cabrera
Infante, en 1961, y se reiteraron en el rechazo oficial a produc-
ciones posteriores, que reclamaban mayor autonomía estética e
ideológica, como las de Néstor Almendros, Nicolás Guillén Lan-
drián y Sarah Gómez.

Varios dramaturgos, como Virgilio Piñera, Abelardo Estori-
no, Vicente Revuelta y Antón Arrufat, continuadores del vanguardismo teatral cubano de los años cincuenta, comenzaron a
enfrentar desde fines de los sesenta diversas dificultades para
desarrollar su obra artística por la homofobia reinante y la in-
tolerancia ideológica del poder. Lo mismo sucedió a pintores,
como Raúl Martínez y Antonia Eiriz, o a escritores como José

Lezama Lima y Reinaldo Arenas. Un momento de máxima orto-doxia cultural se produjo entre 1968 y 1976, cuando a la cam-paña oficial contra escritores disidentes, como el poeta Heberto Padilla, quien fuera arrestado en 1971 y sometido a una autocrí-tica frente a la comunidad artística y literaria de la isla, siguió el Congreso Nacional de Educación y Cultura, que trazó las coor-denadas estéticas e ideológicas que debían seguir el arte y la li-teratura bajo el socialismo, para cumplir el papel de "armas" de la Revolución. No fue hasta después de la creación del Ministe-rio de Cultura, encabezado por Armando Hart, en 1976, que esa ortodoxia, sin desaparecer del todo, se vio compensada por una política cultural más flexible.

La década de los sesenta, como corresponde a todo proceso de cambio cultural radical, fue un periodo de intensificación de las polémicas intelectuales. El suplemento *Lunes de Revolución*, dirigido por Guillermo Cabrera Infante, cuestionó el legado de revistas literarias anteriores a 1959, como *Orígenes*, dirigida por José Lezama Lima y José Rodríguez Feo. En *La Gaceta de Cuba* se enfrentaron viejos liberales y nuevos comunistas, como Virgilio Piñera y Roberto Fernández Retamar, y viejos comunistas y nue-vos liberales, como José Antonio Portuondo y Ambrosio Fornet. Marxistas más o menos ortodoxos, como Blas Roca, Edith García Buchaca, Mirta Aguirre y Alfredo Guevara, debatieron sobre el cine del neorrealismo italiano, la cultura del realismo socialista y el papel del arte y la literatura en la transición socialista. Escri-tores emblemáticos de la generación prerrevolucionaria, como Jesús Orta Ruiz (El Indio Naborí), discutieron con narradores de la generación más reciente, como Jesús Díaz, sobre las diferen-cias entre cultura popular y populismo cultural.

Las polémicas de los sesenta no sólo enfrentaron a una ge-neración con la otra sino que permearon en la comunidad más joven de intelectuales cubanos. Los editores del suplemento li-terario del periódico *Juventud Rebelde*, *El Caimán Barbudo*, diri-gido por Jesús Díaz, se enfrentaron a los poetas y escritores vinculados a la editorial El Puente (José Mario, Isel Rivero, Ana María Simo, Reinaldo García Ramos...). Dentro de la misma generación, que impulsaría la revista de ciencias sociales *Pensamiento Crítico* (1967-1971), dirigida por el filósofo Fernando Martínez Heredia, se perfilaron distintas corrientes ideológicas (marxista-leninistas, guevaristas, prosoviéticos, prochinos, trotskistas, nacionalistas revolucionarios...) que debatieron sobre diversas alternativas de socialismo en Cuba, en el contexto intelectual de la Nueva Izquierda.

Como Estado poderoso, el cubano se centralizó y, a la vez, incrementó su capacidad de gasto en la cultura. Con la creación del Instituto Cubano del Libro, en 1967, la diversidad ideológica de la política cultural cubana comenzó a verse limitada, sobre todo a partir de la plena suscripción del modelo soviético a principios de los setenta. Pero, a la par de acotada e ideológicamente homogénea, la industria editorial cubana creció a niveles desconocidos en la historia de la isla, llegando a competir con las grandes capitales de libros en América Latina, como la ciudad de México y Buenos Aires. Además de sus propias editoriales estatales, el socialismo cubano creó filiales de algunas editoriales soviéticas que, desde La Habana, intentaron penetrar el mercado latinoamericano.

La Revolución cubana tuvo un impacto simbólico considerable en América Latina. La experiencia de la isla no careció de resistencias ideológicas y políticas, pero su impronta en la vida cultural y específicamente literaria de la región fue innegable. Desde sus primeros años en el poder, el gobierno revolucionario creó la institución cultural Casa de las Américas, que dirigió Haydée Santamaría y que se enfocó en la atracción hacia Cuba y su proyecto socialista de la intelectualidad latinoamericana. Este proceso de aproximación ideológica del campo intelectual latinoamericano a la isla corrió en paralelo al diseño, entrenamiento y respaldo de las izquierdas guerrilleras en la región, durante los años sesenta y setenta, a la articulación de redes mediáticas continentales, que respondieran a los objetivos de la expansión de las ideas e instituciones revolucionarias a América Latina, como la agencia Prensa Latina dirigida por el argentino Jorge Ricardo Masseti, creador, a su vez, de un foco guerrillero en Salta, Argentina, entre 1963 y 1964.

La mayoría de los escritores latinoamericanos, que muy pronto protagonizarían el *boom* de la nueva novela latinoamericana (Gabriel García Márquez, Mario Vargas Llosa, Julio Cortázar, Carlos Fuentes…), se identificó inicialmente con la Revolución cubana. Casa de las Américas y su revista tuvieron un papel decisivo en el montaje de aquellos nexos, que impulsaron, a su vez, la relación de esos escritores con la izquierda europea, especialmente la española, de donde saldría el principal impulso editorial al *boom*. Entre 1968 y 1971, justo en los años que van de la "Ofensiva Revolucionaria" al Congreso Nacional de Educación y Cultura, que coinciden, también, con una creciente estigmatización pública de varios escritores de la isla (José Lezama Lima, Virgilio Piñera, Heberto Padilla, Antón Arrufat, Reinaldo Arenas…), que se convertirá en marginación u ostracismo en la primera década de los setenta, muchos intelectuales de la izquierda occidental, incluidos varios iberoamericanos, como Octavio Paz, Mario Vargas Llosa, Carlos Fuentes o Juan Goytisolo, tomaron distancia del socialismo insular.

El arresto del poeta Heberto Padilla y su esposa, la también poeta Belkis Cuza Malé, en 1971, y la "autocrítica" pública del primero dividieron a la izquierda intelectual latinoamericana frente a Cuba. Buena parte de los proyectos de solidaridad con la descolonización del Tercer Mundo y con los nacionalismos y socialismos de Asia, África y Latinoamérica, que habían caracterizado a la Revolución cubana en los sesenta, aunque no desaparecieron, perdieron fuerza en la década siguiente, como consecuencia del entendimiento de la política exterior de la isla con la geopolítica de la Unión Soviética, durante el último tramo de la doctrina de la "coexistencia pacífica" entre ambos bloques de la Guerra Fría. El rol protagónico de la isla en el Movimiento de Países No Alineados, que llegó a presidir Fidel Castro a fines de los setenta, fue una marca de identidad de ese ajuste en la política exterior de La Habana.

La sovietización de la cultura cubana en esos años fue más profunda e importante de lo que generalmente aceptan los estudiosos cubanos. La literatura, las artes y las ciencias sociales de la isla experimentaron una evidente asimilación de premisas y valores propios de las sociedades y los estados de Europa del Este, que eran presentados en la esfera pública insular como países que alcanzaban un estadio superior de desarrollo científico, tecnológico y espiritual. Los propios artistas, escritores y científicos sociales cubanos, a partir de esa asimilación, comenzaron a proyectar visiones de la realidad cubana que reproducían elementos de la estética del "realismo socialista" y del "materialismo dialéctico e histórico", que sustentaba la filosofía marxista-leninista y la llamada teoría del "comunismo científico", elaborada por la academia soviética.

Uno de los principales efectos de esta metamorfosis cultural, que habría que estudiar como parte del gran cambio social generado por la Revolución cubana, fue el exilio de buena parte de la comunidad intelectual de la isla durante las dos primeras décadas del socialismo. A partir de 1961, con la asunción de la identidad "marxista-leninista" del gobierno revolucionario, el éxodo de artistas, escritores y académicos, que había comenzado lentamente en los dos primeros años de la Revolución, se aceleró. En varias oleadas migratorias, entre aquellos primeros años y 1980, cuando se produce la gran fuga de más de 125000 cubanos por el puerto del Mariel, algunas de las principales figuras de la intelectualidad cubana (Gastón Baquero, Lino Novás Calvo, Jorge Mañach, Lydia Cabrera, Guillermo Cabrera Infante, Heberto Padilla, Reinaldo Arenas, Antonio Benítez Rojo, Guillermo Rosales...) se establecieron en diversas ciudades de Europa y Estados Unidos. En la isla quedaron grandes voces de la cultura (Fernando Ortiz, Ramiro Guerra, Nicolás Guillén, Alejo Carpentier, José Lezama Lima, Virgilio Piñera, Eliseo Diego, Cintio Vitier, Fina García Marruz), pero la fractura del campo intelectual cubano fue evidente.

EL ORDEN SOCIALISTA

Entre fines de 1971 y principios de 1972, el cambio en la política económica anunciado por Fidel Castro en su autocrítica, tras el fracaso de la zafra de los 10 millones, comenzó a dar resultados. El canciller Alexei Kosyguin viajó a La Habana en octubre de 1971, y Castro lo recibió con un discurso lleno de loas a la URSS y a su papel en el mundo. El periódico *Granma* cubrió generosamente la visita de Kosyguin y éste, en un gesto que denotaba el acuerdo de los soviéticos con los "cinco puntos" de La Habana durante la crisis de los misiles, exigió a Estados Unidos que devolviera la base naval de Guantánamo. Si 1971 había sido denominado "Año de la Productividad", 1972 se llamaría "Año de la Emulación Socialista", con lo cual se enfatizaba simbólicamente la vuelta al sistema salarial y de los "estímulos materiales" de los primeros años de la Revolución, acordada por la Central de Trabajadores de Cuba y el nuevo equipo de planificación.

La Comisión Cubano-Soviética de colaboración económica y tecnológica, reunida en Moscú bajo la presidencia de Carlos Rafael Rodríguez, elaboró el protocolo de ingreso de la isla al Consejo de Ayuda Mutua Económica (CAME), el bloque comercial que reunía a los países del campo socialista. La integración de Cuba al CAME formalizó los términos del intercambio entre la isla, la URSS y los socialismos reales de Europa del Este, basados, sobre todo, en el trueque de azúcar por petróleo, pero que también facilitó la transferencia de maquinaria y tecnología. El proyecto de la industrialización no se retomó con la vehemencia de principios de los sesenta, pero tuvo un repunte en aquellos años.

Según José Luis Rodríguez, entre 1970 y 1975, el crecimiento promedio anual de las industrias básica, ligera y de materiales de la construcción fue de 11, 12 y 25%, respectivamente. El crecimiento económico a partir de entonces sería sostenido, aunque bajo el esquema subsidiario de la relación con la URSS. La producción de azúcar se estabilizó por encima de los seis millones de toneladas anuales y a fines de los setenta y principios de los ochenta llegaría consistentemente a más de ocho millones, la cifra que se alcanzó en 1970 con costos enormes. Además del azúcar, otros productos y áreas de inversión atrajeron a los soviéticos en aquellos años: el níquel, los cítricos, la energía nuclear y termoeléctrica y las prospecciones geológicas. Los créditos de la URSS, concedidos primero de manera quinquenal y luego por décadas, oscilaron entre 300 y 1 800 millones de dólares en esos años. Los economistas han debatido desde entonces sobre las tasas de crecimiento del producto social global per cápita sin llegar a acuerdos, pero casi todos coinciden en que estuvo por encima de 5.8% anual y algunos sostienen que, en 1981, llegó al récord histórico de 16 por ciento.

La relación privilegiada con la URSS no sólo generó transferencia de energéticos y tecnología, también de instituciones e ideas. La institucionalización del cambio revolucionario no tuvo tanto que ver con la creación de nuevas instituciones como con la centralización y coordinación de las mismas en todo el país. En noviembre de 1972 se creó el Comité Ejecutivo del Consejo de Ministros con varias vicepresidencias, que ejerció por un tiempo las funciones del futuro Consejo de Estado. A la vez comenzó un proceso de reorganización del Partido Comunista de Cuba (PCC) y de sus vínculos con las organizaciones de masas, que se consumaría con el Primer Congreso del PCC en 1975.

Desde el punto de vista ideológico y cultural, aquella reorganización, inspirada en el modelo soviético, se plasmó inicialmente en los acuerdos del primer Congreso de Educación y Cultura de 1971. A diferencia del discurso ideológico predominante en los sesenta, que insistía en presentar la Revolución cubana como un fenómeno autóctono, legitimado por las tradiciones anticoloniales y patrióticas del siglo XIX —en 1968, Fidel Castro había establecido la tesis de que en Cuba se había producido una sola revolución, que estalló en 1868 con la primera Guerra de Independencia y que adoptaba, finalmente, su necesaria forma socialista en los años sesenta—, la ideología oficial era formulada ahora en términos marxista-leninistas, en sintonía con el lenguaje y la retórica de los dirigentes soviéticos y de las burocracias gobernantes en las llamadas "democracias populares" de Europa del Este.

En la declaración final de aquel Congreso de Educación y Cultura de 1971, y en el discurso de clausura del mismo por Fidel Castro, se establecieron algunas de las premisas ideológicas y culturales que se adoptarían en la documentación programática del primer Congreso del PCC en 1975. Allí se condenaba el "diversionismo ideológico" y todas las formas posibles del "revisionismo", englobando dentro de esas categorías todo el pensamiento, la literatura y las ciencias sociales adscritas al liberalismo, el conservadurismo o el marxismo y el socialismo heterodoxos o críticos de la URSS y los regímenes de Europa del Este. También se convirtió en política de Estado la persecución del "snobismo, la extravagancia, la homosexualidad y otras aberraciones sociales", el "ateísmo científico" y la estigmatización de todas las prácticas religiosas.

Dentro del gran proyecto de integración social, emprendido por el gobierno revolucionario desde los primeros años sesenta, ocupó un papel central la remoción de leyes y prácticas que fomentaban la exclusión y la discriminación raciales. Las barreras que impedían el acceso de la población negra y mulata a lugares públicos y la inequidad de oportunidades que afectaba a esos grupos étnicos en el último tramo de la historia republicana, fueron derribadas. Sin embargo, estudiosos como Alejandro de la Fuente han observado que ese avance en la igualdad racial y en el combate a la discriminación se dio acompañado de fuertes restricciones a la sociabilidad autónoma de las comunidades negras y mulatas. Luego de 1976, la sociedad insular comenzó a experimentar nuevas formas de racismo, acentuadas por la propia reestratificación que generó el orden socialista.

La política cultural derivada de ese congreso partió del criterio de que el arte y la literatura eran "armas" de la Revolución, por lo que a partir de entonces el gobierno comenzó a combatir la tendencia a la autonomía de los artistas e intelectuales. El modelo estético del "realismo socialista", propio del bloque soviético, en el que se confundía arte y propaganda, se difundió en la isla, lo mismo que la filosofía y la teoría social del marxismo-leninismo ortodoxo, que se practicaba en la Academia de Ciencias de la URSS y otras instituciones de educación superior de Europa del Este. Aquel congreso de 1971 y el primero del Partido Comunista, en 1975, estimularon, de hecho, una reforma de la educación básica y superior en la isla, que trasplantó a Cuba las instituciones, metodologías y valores distintivos de la pedagogía y la psicología soviéticas.

En aquellos años se formalizó el sistema de asesores soviéticos en los principales ministerios del país y el envío de estudiantes, técnicos y dirigentes a cursar estudios superiores en la URSS y en los países socialistas. Fidel Castro y Carlos Rafael Rodríguez fueron ubicados en un lugar destacado de la tribuna durante el acto oficial por el 50 aniversario de la fundación de la Unión Soviética, en diciembre de 1972, días después de haber recibido con honores al presidente chileno Salvador Allende en la isla. Al año siguiente comenzarían a desfilar por La Habana los principales mandatarios del campo socialista. En abril de 1973, llegó a La Habana el secretario general del comunismo checo, Gustáv Husák, en junio viajó el presidente de Polonia Henryk Jablonski, en agosto el de Rumanía, Nicolae Ceausescu, en enero de 1974, finalmente, el de la URSS, Leonid Brezhnev, y al mes siguiente, Erich Honecker, líder de la Alemania comunista. El respaldo diplomático de la URSS y Europa del Este, curiosamente, abrió las puertas a buena parte de la comunidad internacional. Cuba estableció entonces relaciones con Alemania Federal y con Japón, pero también restableció sus vínculos con Argentina, Venezuela, Colombia y la mayoría de los países caribeños, entre los que se encontraban gobiernos simpatizantes de la Revolución, como los de Eric Williams en Trinidad y Tobago, Michael Manley en Jamaica y Omar Torrijos en Panamá. Un buen ejemplo del creciente pragmatismo con que el gobierno cubano comenzaba operar sus relaciones internacionales fueron las buenas relaciones diplomáticas y comerciales que Cuba sostuvo con la dictadura militar argentina, en contraste con el rechazo a otros regímenes similares en el continente.

En el verano de 1974 viajó a La Habana el presidente mexicano Luis Echeverría, cuya política tercermundista convergía con la labor de Cuba en el Movimiento de Países No Alineados, que la isla presidió a fines de la década, y también con la oposición a las dictaduras militares del Cono Sur, como la de Augusto Pinochet en Chile. Todo este proceso de reinserción internacional ejerció presión sobre el gobierno de Estados Unidos y logró un leve descenso de la tensión durante los gobiernos de Gerald Ford y James Carter, que suavizaron el embargo y no obstruyeron el naciente comercio exterior de la isla con Occidente. A pesar de que la intervención militar del gobierno cubano en Angola, con el fin de apoyar al régimen de Agostinho Neto y el Movimiento Popular de Liberación de Angola (MPLA), y el apoyo a la Revolución sandinista enrarecieron aquel pequeño deshielo, las relaciones entre Washington y La Habana vivieron entonces una fugaz relajación, como lo evidencia el acuerdo migratorio que permitió las visitas de la comunidad cubanoamericana y el diálogo entre jóvenes académicos, en su mayoría de la segunda generación del exilio en Estados Unidos, y el gobierno de la isla.

Durante los años soviéticos, a la vez que mejoraban las relaciones del gobierno cubano con varios países latinoamericanos,

EL ORDEN SOCIALISTA *177*

se experimentó también una mejoría de los vínculos diplomáticos con Europa. La relación con España, por ejemplo, país que ha funcionado históricamente como puerta de la isla a Europa, luego de un primer momento de crisis, asociada con la temprana expulsión de la isla del embajador Juan Pablo Lojendio, quien interpeló directamente a Fidel Castro en un programa televisivo, y con la política antirreligiosa y antiliberal del gobierno revolucionario en los sesenta, creció notablemente durante los últimos años del franquismo y los primeros de la transición democrática, como lo ilustran los viajes a La Habana de los presidentes Adolfo Suárez en 1978 y Felipe González en 1984.

Los momentos culminantes de la institucionalización fueron el primer Congreso del Partido Comunista, en 1975, y la aprobación, por referéndum, de la Constitución socialista de 1976, que dejó instalada la Asamblea Nacional del Poder Popular. En las "Tesis y resoluciones" y, especialmente, en la "Plataforma programática" del Partido Comunista de Cuba, acordadas en aquel congreso, además, por supuesto, de en la Constitución de 1976, se describe el régimen político cubano, tal como ha funcionado, con algunas reformas no esenciales, en los últimos 40 años. Un régimen construido, en lo fundamental, entre 1960 y 1961, pero que década y media después alcanzó su codificación jurídica y constitucional. Un régimen de partido comunista único, basado en la doctrina del marxismo-leninismo, cuyo objetivo, según la documentación vigente, ha sido y sigue siendo el tránsito del socialismo al comunismo en la isla.

La "Plataforma programática", además de una suscripción del marxismo-leninismo, tal como se comprendía esa ideología en la URSS y el socialismo real de Europa del Este en los años setenta, contiene un relato de la historia de Cuba que, de una u otra forma, reprodujo durante décadas la historiografía oficial. Según ese relato, las guerras de Independencia del siglo XIX fueron revoluciones "burguesas, democráticas y antiesclavistas" que no triunfaron por la intervención del "imperialismo yanqui" en

1898. Luego, a partir de la instauración de la República "mediatizada", vendría un largo periodo de 57 años de experiencia "semicolonial", que acaba el 1 de enero de 1959, con el triunfo de la Revolución cubana. La liberación nacional producida por esta última provocó un choque de clases, que se decantó a favor del tránsito socialista en 1960.

Pero la historia de Cuba, según esos documentos programáticos del Partido Comunista, tenía sentido como parte de una historia mundial basada en el conflicto entre el socialismo y el capitalismo, desde el estallido de la Revolución bolchevique de 1917. La llegada del socialismo a Cuba era un triunfo de las fuerzas socialistas mundiales, lo mismo que la invasión soviética a Hungría, en 1956, cuando "las acciones contrarrevolucionarias desatadas por las fuerzas reaccionarias internas y externas fueron aplastadas por el pueblo húngaro con el apoyo de la clase obrera internacional y, en especial, la ayuda directa de la Unión Soviética". La Revolución cubana, según esa narrativa de Estado, había sido resultado de la "fusión del ideario nacional revolucionario de José Martí y la concepción marxista-leninista, que ya Fidel Castro y otros dirigentes compartían desde antes del asalto al cuartel Moncada".

Como se puede apreciar, este relato del pasado del país era ligeramente distinto al propuesto por el propio Fidel Castro, en su discurso *Porque en Cuba sólo ha habido una Revolución*, del 10 de octubre de 1968, o en su anterior alegato *La historia me absolverá* (1954). Si en éstos la experiencia cubana era explicada a partir de un argumento excepcionalista, que tenía que ver con la figura profética de un José Martí en el siglo XIX y con una revolución anticolonial y antiesclavista que se adelantaba también al antiimperialismo del siglo XX, en los textos programáticos del Partido Comunista el socialismo era explicado como un desenlace racional de fuerzas históricas mundiales y como una creación específica de un grupo de comunistas cubanos que eran marxista-leninistas desde antes de 1953 y que, astutamente, ocultaron su objetivo a la población para evitar que la reacción anticomunista les impidiera llegar al poder.

La institucionalización de estilo soviético se encauzó a partir de esa ideología de Estado, finalmente adoptada en 1975. La Constitución del año siguiente lo confirmó cuando en el "Preámbulo" a la misma se estableció que el gobierno revolucionario estaba guiado por la "doctrina victoriosa del marxismo-leninismo" y se apoyaba en "el internacionalismo proletario, en la amistad fraternal y la cooperación de la Unión Soviética y otros países socialistas". Las palabras iniciales del texto constitucional reiteraban, además, la premisa básica del dogma comunista de que "sólo en el socialismo y el comunismo, cuando el hombre ha sido liberado de todas las formas de explotación; de la esclavitud, de la servidumbre y del capitalismo, se alcanza la entera dignidad del ser humano". En aquel "Preámbulo" se formulaba también el principio de la continuidad permanente de la Revolución, que subyace tras la ideología de Estado, su narrativa histórica y el lenguaje de la cultura, la educación y los medios gubernamentales de la isla. Según ese principio, la historia de Cuba previa a 1959 es la prehistoria de la nación cubana y la posterior es, a perpetuidad, la historia de la Revolución:

La Revolución triunfadora del Moncada y del *Granma*, de la Sierra y de Girón encabezada por Fidel Castro, que sustentada en la más estrecha unidad de todas las fuerzas revolucionarias y del pueblo, conquistó la plena independencia nacional, estableció el poder revolucionario, realizó las transformaciones democráticas, inició la construcción del socialismo y, con el Partido Comunista al frente, la continúa con el objetivo de edificar la sociedad comunista.

Esa idea de la Revolución, única en el mundo, era resultado de la mezcla entre el nacionalismo revolucionario, personificado en el liderazgo permanente de Fidel Castro, y el marxismo-leninismo de corte soviético que, de acuerdo con el artículo 38 de la misma Constitución, regía la política del Estado hacia la educación y la cultura. Otros mecanismos e instituciones propios del sistema político del campo socialista, como el partido comunista único como "fuerza dirigente de la sociedad y el Estado", la hegemonía de la "propiedad estatal socialista", la "organización, dirección y control de la actividad económica nacional de acuerdo con el plan de desarrollo único del Estado", o la limitación de los derechos civiles y políticos al espacio de las "organizaciones sociales y de masas" y la subordinación de éstas al Partido Comunista, fueron codificados en los artículos 5, 7, 14, 15, 16, 52, 53 y 54 del texto constitucional.

Al igual que otros regímenes comunistas de Europa del Este, el cubano asumió el "ateísmo científico" como uno de los componentes del marxismo-leninismo, en tanto ideología de Estado. El artículo 54, aunque señalaba que se "reconocían y garantizaban la libertad de conciencia y el derecho de cada uno a profesar cualquier creencia religiosa y a practicar, dentro del respeto a la ley, el culto de su preferencia", advertía que el Estado "basaba su actividad y educa al pueblo en la concepción científica materialista del universo" y que era "ilegal y punible oponer la fe o la creencia religiosa a la Revolución, a la educación o al cumplimiento de los deberes de trabajar, defender la patria con las armas, reverenciar sus símbolos y los demás deberes establecidos por la Constitución". En referencia a la limitada dotación de derechos civiles, en contraste con la amplia oferta de derechos sociales, la Constitución introducía esta acotación, con consecuencias nefastas para la codificación penal de las libertades públicas:

> Ninguna de las libertades reconocidas a los ciudadanos puede ser ejercida contra lo establecido en la Constitución y las leyes, ni contra la existencia y fines del Estado socialista, ni contra la decisión del pueblo cubano de construir el socialismo y el comunismo. La infracción de este principio es punible.

El proceso de institucionalización del socialismo cubano y, sobre todo, su codificación constitucional y penal generó la integración al Estado de la gran mayoría de la sociedad cubana, pero también un proceso de exclusión política que en los años siguientes se haría evidente de manera crítica. A fines de los setenta, una nueva campaña de depuración ideológica en la educación superior del país expulsó de las universidades a miles de jóvenes acusados de "diversionismo ideológico". En 1980 estalló la crisis de la Embajada de Perú, en cuyos jardines se hacinaron 11 000 cubanos. El gobierno de la isla reaccionó movilizando a la población por medio de las organizaciones sociales en una serie de "marchas combatientes" por el Malecón habanero, y "actos de repudio" frente a la Embajada peruana o frente a las residencias de los vecinos que pedían salida del país y que eran delatados por los Comités de Defensa de la Revolución.

La presión de amplios sectores sociales, marginados del proceso de institucionalización socialista, obligó al gobierno cubano a abrir las fronteras marítimas y permitir que exiliados de Miami recogieran en embarcaciones a los cubanos que deseaban emigrar. En pocas semanas unos 125 000 ciudadanos de la isla solicitaron la salida del país, siendo sometidos a toda suerte de abusos hasta su embarcación en el puerto del Mariel, al occidente de La Habana. La crisis migratoria, además de las nacientes campañas del ejército cubano en África y el respaldo del gobierno cubano a las revoluciones centroamericanas, deterioraron la relación con la administración Carter en su último año, y atentaron contra su reelección en 1980.

Desde el punto de vista institucional, uno de los mayores efectos de la Constitución de 1976 fue la instalación del primer parlamento cubano luego del triunfo de la Revolución. La Asamblea Nacional del Poder Popular, que comenzaría a desempeñar un papel más activo en los años noventa y 2000, quedó entonces constituida, tendiendo una nueva red administrativa en los niveles local y provincial. Con la introducción del gobierno representativo, la práctica electoral regresó a la isla, aunque con algunas peculiaridades. El nuevo sistema electoral estableció que el Partido Comunista no postularía a los candidatos, sino que los vecinos de los barrios serían los postulantes directos. A mano alzada, los habitantes de los barrios podían nominar a sus propios representantes.

Ese mecanismo democrático se vería, sin embargo, contrarrestado por las Comisiones Electorales, que en los niveles municipal, provincial y nacional deciden las nominaciones finales y están integradas por representantes de las organizaciones del Estado (CTC, CDR, FMC, ANAP), cuya función es balancear la representación sectorial dentro de las asambleas municipales, provinciales y nacional. El resultado de esa combinación de unipartidismo y monocameralismo, intervenida y controlada por las propias instituciones del Estado, es la ausencia de oposición dentro del parlamento y la elección indirecta de la jefatura del Estado cubano. De acuerdo con ese sistema electoral, Fidel Castro fue reelegido como presidente de los consejos de Estado y de Ministros, cargos que sumaba a los de primer secretario del Partido Comunista y comandante en Jefe de las Fuerzas Armadas, por abrumadora mayoría, durante 30 años consecutivos.

DESPUÉS DE LA REVOLUCIÓN

Luego del primer Congreso del Partido Comunista de Cuba y de la Constitución de 1976, que dejó instalada la Asamblea Nacional del Poder Popular, la política económica, social y cultural del gobierno cubano siguió pautas institucionales básicas, como la planificación quinquenal y la aprobación de presupuestos anuales de ingresos y egresos. No es raro que las propias estadísticas oficiales, a partir de 1976, se vuelvan más transparentes y confiables. De acuerdo con esas estadísticas, José Luis Rodríguez ha ubicado en los quinquenios siguientes a 1976, el periodo más constante de crecimiento económico de la isla y de expansión del gasto social del Estado que conoce la historia posterior a 1959.

Sostiene Rodríguez, en su libro *Desarrollo económico de Cuba* (1990), que entre 1976 y 1980, el producto social global (PSG), a precios constantes de 1981, subió de más 14 000 millones de pesos a más de 17 000 millones. Este mismo economista cubano, que años después llegaría a ser ministro de Economía, señala que en el quinquenio siguiente el salto fue aún mayor, ya que el PSG creció de poco más de 22 000 millones de pesos en el cierre de 1981 a casi 27 000 millones en 1985. El crecimiento también se reflejó en el aumento de las exportaciones y las importaciones, a la par de una estabilización de la balanza comercial, ya que si en el primer quinquenio, la tasa de crecimiento de las exportaciones fue de 5% y la de las importaciones de 7%, en el siguiente quinquenio fueron de 7% y cerca de 10%, respectivamente.

El motor de ese crecimiento fue, naturalmente, la industria azucarera, pero los resultados de la misma en aquella década no se pueden aislar de un modelo de planificación nacional, asociado a la integración de la isla al mercado socialista. Ese orden macroeconómico era, por lo visto, favorable al aumento de la producción azucarera, ya que entre 1981 y 1989, el año de la caída del muro de Berlín, la producción insular siempre estuvo por encima de los siete millones de toneladas métricas y en tres años, 1982, 1984 y 1985, rebasó los ocho millones.

Un repunte similar al del azúcar se observa, en los mismos años, en la producción de níquel, cítricos, tabaco, arroz, leche, acero y cemento, por lo que el aumento de la producción era sistémico y no únicamente localizado en las áreas estratégicas del mercado socialista.

El crecimiento confirió al Estado socialista un equilibrio financiero y presupuestario que permitió la consolidación de los programas sociales iniciados en los años sesenta, que entonces vivieron su mayor expansión. Entre 1976 y 1992, el gobierno cubano dedicó la gran parte de su presupuesto de egresos a garantizar la cobertura universal de salud y educación y a incrementar el rendimiento de esos servicios por medio de programas para alcanzar la escolaridad secundaria en la mayoría de la población, reducir la mortalidad infantil a menos de 10 por cada 1 000 nacidos vivos y disponer de un médico por cada 120 familias de la isla.

Aquella bonanza económica, atada a los términos subsidiarios del intercambio con la URSS, Europa del Este y el Consejo de Ayuda Mutua Económica (CAME), comenzó a desestabilizarse entre fines de los ochenta y principios de los noventa, con la secuencia de hechos asociados a la *perestroika* y la *glasnost* emprendidas por Mijaíl Gorbachov a partir de 1985, la caída del muro Berlín en 1989 y la desintegración de la URSS en 1991. El gobierno cubano se enfrentó a esa secuencia de eventos en medio de presiones domésticas e internacionales como la última y crítica etapa de la guerra en Angola, entre 1987 y 1989, y el estallido, este último año, de la crisis interna provocada por los juicios contra el general de las Fuerzas Armadas Revoluciona-

rias, Arnaldo Ochoa, jefe de las campañas africanas, y los hermanos Patricio y Antonio de la Guardia, oficiales del Ministerio del
Interior, acusados de contrabando, corrupción y narcotráfico.
A la par de una gradual normalización de relaciones con
América Latina, el gobierno de Fidel Castro mantuvo su respaldo a los movimientos de liberación nacional en África, que había iniciado desde los años sesenta, en Argelia, Zaire, el Congo,
Guinea-Bissau y otros países. Los proyectos africanos de La Habana incluyeron grandes desplazamientos militares a Angola y,
en menor medida, a Etiopía que, de acuerdo con el historiador
Piero Gleijeses, alcanzaron la cifra de 55 000 soldados cubanos
en el continente africano entre los años setenta y ochenta, se ins-
cribieron en la crisis final del colonialismo portugués y, en el caso
etíope, en el conflicto entre Somalia y Etiopía por el territorio de
Ogaden. La empresa africana del gobierno revolucionario, sobre
todo en Angola, agregó tensiones al conflictivo nexo de la isla con
Estados Unidos, lo mismo bajo la administración demócrata de
James Carter que bajo las republicanas de Ronald Reagan, pero
tuvo su efecto en el logro de la independencia de Namibia y el fin
del *apartheid* en Sudáfrica, que propició, en buena medida, la
nueva política global de Mijaíl Gorbachov desde Moscú.

A partir de 1986, Fidel Castro intentó contrarrestar la propuesta de la *perestroika* y la *glasnost* de Gorbachov, que no care-
cían de popularidad entre la población joven de la isla, con un
programa ideológico alternativo, llamado "Rectificación de errores y tendencias negativas". Más allá de movilizaciones concretas
de sectores sindicales y juveniles y de un giro retórico a favor de
las ideas económicas del Che Guevara, ese proceso no alteró las
premisas del funcionamiento del Estado socialista ni la racionalidad de la planificación establecidos en 1976. El congreso del
Partido Comunista de Cuba se pospuso un año, pero finalmente
se celebró, en octubre de 1991, y sentó las bases para una reforma constitucional, aprobada al año siguiente, que preparó a la
isla para la coyuntura de la ausencia de la URSS.

La Constitución de 1992 parecía insinuar un cambio mayor que el que se produjo, en la práctica, durante los noventa. El texto rebajaba el perfil doctrinal y retórico del marxismo-leninismo y, naturalmente, eliminaba las frases de adhesión al bloque soviético y al campo socialista. A la vez, aquella Constitución regresaba al acento ideológico del nacionalismo revolucionario, presentando al Partido Comunista como una organización "martiana y marxista, vanguardia organizada de la nación cubana" que, sin embargo, "seguía siendo la fuerza dirigente superior de la sociedad y el Estado". La nueva ley de leyes eliminó cualquier alusión al ateísmo y alentó la incorporación de religiosos al Partido Comunista.

Desde principios de los años ochenta, la legislación comercial había abierto la posibilidad de inversiones de capital extranjero que reprodujeran la propiedad mixta. Ahora, el artículo 23 establecía que el "Estado reconocía la propiedad de las empresas mixtas, sociedades y asociaciones económicas que se constituyen conforme a la ley". Estos ajustes del viejo sistema de corte soviético, consagrado en 1976, buscaban una reintegración de la isla al mercado occidental que intentara suplir el golpe que representaba la ausencia de la URSS y el campo socialista. Abruptamente, el enorme subsidio soviético, que Carmelo Mesa Lago ha calculado en unos 65 000 millones de dólares entre 1960 y 1990 —60.5% del mismo en donaciones y precios no reembolsables, y el 39.5% restante en préstamos— desapareció.

El gobierno cubano trató de contener el impacto con una mínima flexibilización a principios de los noventa, por medio de la despenalización del dólar, la liberación del mercado libre campesino y aproximaciones a países latinoamericanos, occidentales y asiáticos. Pero no fue suficiente, la isla entró en una profundísima crisis, oficialmente denominada "periodo especial en tiempos de paz" o, en su versión extrema, "opción cero", que produjo un dramático deterioro de las condiciones de vida. Según Mesa Lago, el gobierno mantuvo la alta porción del gasto público y el presupuesto de egresos que destinaba a los derechos sociales, especialmente la salud y la educación. No obstante, el 50% de inflación, además de la depresión del consumo, produjo una caída de 78% en el gasto social real por habitante. Para colmo, la política de Estados Unidos, lejos de flexibilizarse, se endureció por medio de las enmiendas Torricelli, en 1992, y Helms-Burton, en 1996. Fue ésa una política promovida por las cada vez más poderosas élites cubanoamericanas en Estados Unidos, interesadas en aislar al gobierno de Fidel Castro de la comunidad internacional, para obligarlo a abrirse o a colapsar. Los dirigentes cubanos, tal como había sucedido en los años sesenta, en vez de abrirse se aferraron aún más a su modelo y en 1997, cuando se celebró el quinto Congreso del Partido Comunista de Cuba, parecían decididos a dar marcha a atrás a la ligera apertura que habían contemplado a principios de la década.

A fines de los noventa, con la llegada de Hugo Chávez al poder en Venezuela comenzó una ligera recuperación en el suministro energético y otras áreas del comercio exterior. El gobierno cubano intentó recomponer la relación con Rusia y el primer país latinoamericano que visitó el nuevo jefe de ese gran Estado, Vladimir Putin, fue la isla, a fines del año 2000. En aquellos años le interesaba a Putin el desmontaje o la refuncionalización de la base de espionaje electrónico de Lourdes, cerca de La Habana, que los soviéticos habían establecido a principios de los años sesenta, pero también la renegociación de un acuerdo petrolero con la isla. A partir de entonces, la colaboración entre Rusia y Cuba se ha recuperado gradualmente, hasta llegar a niveles importantes en la segunda década del siglo XXI.

También en 1998 y 2001 viajaron a Cuba, respectivamente, el papa Juan Pablo II y el ex presidente James Carter. Ambas visitas fueron importantes para el proyecto de normalización de vínculos con la comunidad internacional del gobierno cubano, pero también para la articulación de un nuevo movimiento opositor dentro de la isla, que lograría alguna resonancia en los años siguientes. Las homilías del papa alentaron la lucha de las comunidades religiosas y, en general, de la sociedad civil por su autonomía. Un importante movimiento del laicado católico cubano, que se expresó en las publicaciones de los arzobispados, comenzó a presionar a favor de mejores condiciones para la labor pastoral y para la proyección pública del catolicismo. El crecimiento de la fe católica en la isla, entre la visita de Juan Pablo II, en 1998, y la del siguiente pontífice Benedicto XVI, en 2012, fue una consecuencia de esa labor pública.

Hubo varios proyectos importantes de la oposición cubana en los noventa, como el manifiesto "La patria es de todos" (1997), lanzado por Vladimiro Roca, Martha Beatriz Roque Cabello, Félix Bonne Carcassés y René Gómez Manzano, en la coyuntura del quinto Congreso del Partido Comunista de Cuba. Pero, tal vez, el que ganó mayor proyección nacional y, sobre todo, internacional, fue el así llamado "Proyecto Varela", impulsado por el Movimiento Cristiano de Liberación, que encabezó el líder laico Oswaldo Payá Sardiñas. Justo en el año 1998, cuando la visita del papa Juan Pablo II, el proyecto adquirió un aliento definitivo y comenzó a difundirse hasta ser presentado en la Asamblea Nacional del Poder Popular, en 2002.

En esencia, el Proyecto Varela era una iniciativa ciudadana de ley, basada en el artículo 88, inciso G, de la Constitución de 1992, que estipulaba que un conjunto de más de 10 000 ciudadanos, con la condición de electores, podía proponer reformas constitucionales. Payá y el Movimiento Cristiano de Liberación lograron reunir las firmas de más de 11 000 ciudadanos, en una primera propuesta, y, al parecer, más de 20 000 en una segunda convocatoria. Lo que proponían los opositores era someter a referéndum un conjunto de reformas a la Constitución de 1992 que ampliarían los derechos a la libre expresión y la libre asociación, el derecho de los cubanos a formar empresas no estatales, una nueva ley electoral que removería las comisiones de candidaturas y una amnistía para todos los presos políticos.

La Asamblea Nacional del Poder Popular no sólo desechó el recurso, con el tecnicismo de que las firmas no venían avaladas por la condición de electores de los 10 000 ciudadanos, sino que lanzó su propio proyecto de reforma constitucional y su propio referéndum, en junio de 2002. Dado que la Constitución de 1992 contemplaba que el texto constitucional podía ser reformado total o parcialmente por la Asamblea Nacional, en votación nominal por las dos terceras partes de sus miembros, la reforma promovida por el gobierno se propuso evitar que se produjera ese escenario. Al artículo 3° de la Constitución se adicionó la frase de que el "socialismo es irrevocable" y al 137 se agregó que la Constitución podía ser reformada, "excepto en lo que se refiere al sistema político, económico y social, cuyo carácter irrevocable lo establece el artículo 3° del capítulo I".

La reforma fue sometida a referéndum y obtuvo un mayoritario voto afirmativo de más 8 millones de ciudadanos, y al año siguiente, en la primavera de 2003, el gobierno encarceló a 75 opositores, en su mayoría activistas del Proyecto Varela. La reforma constitucional y la represión política marcaban el momento ascendente de una campaña de cohesión ideológica y política, llamada "Batalla de ideas", que arrancó con la presión a favor de la repatriación del niño balsero, Elián González, que sobrevivió a un naufragio en el estrecho de la Florida, en el que murió su madre, y fue adoptado por sus familiares en Miami. El padre del niño, desde la isla, reclamó la patria potestad y el gobierno de Fidel Castro, por un lado, y la comunidad cubana en Miami, por el otro, hicieron del destino de residencia de Elián un motivo de disputa legal, política y simbólica.

El naufragio de Elián no era un hecho aislado. Desde 1994, cuando estalló la llamada "crisis de los balseros" —decenas de miles de jóvenes habaneros que salieron a protestar a las calles y, en balsas improvisadas, se embarcaron rumbo a Miami—, el flujo migratorio se volvió constante. Durante los años sesenta, setenta y ochenta, se habían producido distintas oleadas de exilio, que acumularon en el sur de la Florida una población cercana al millón de cubanos. A partir de 1994, el flujo se volvió permanente, no sólo gracias al acuerdo migratorio entre los gobiernos de Bill Clinton y Fidel Castro de septiembre de 1994, que aseguró la expedición de 20 000 visas legales al año para potenciales emigrantes, sino porque miles de cubanos siguieron intentado llegar ilegalmente a Estados Unidos, a pesar de que, según el mismo acuerdo, de ser capturados en alta mar serían devueltos a la isla.

Además del regreso de Elián y de la oposición a la Ley de Ajuste Cubano, que concede derechos de ciudadanía a los exiliados cubanos y que el gobierno de la isla entiende como causa fundamental de tan cuantiosa emigración, la "Batalla de ideas" se dirigió desde principios de la década del 2000 a cabildear a favor de la liberación de un grupo de agentes de la Seguridad del Estado, infiltrados en asociaciones del exilio cubano y, también, en instituciones del gobierno norteamericano, que fueron descubiertos y condenados en Estados Unidos a largas penas de encarcelamiento. Hasta 2006, la "Batalla de ideas" y la relación privilegiada con el gobierno de Hugo Chávez, en Venezuela, y con las naciones afiliadas a la Alianza Bolivariana de los Pueblos de Nuestra de América (ALBA), fueron las prioridades de La Habana.

En el verano de 2006, una enfermedad intestinal provocó el retiro, primero temporal y luego definitivo, de Fidel Castro. Se inició entonces una compleja sucesión del poder, encabezada por Raúl Castro, hasta entonces segundo secretario del Partido Comunista y primer vicepresidente de los consejos de Estado y de Ministros, además de ministro de las Fuerzas Armadas. A pesar de que Fidel Castro había dejado escrita una proclama en la que parecía proponer que el gobierno sucesor se repartiera entre distintas figuras de su último gabinete, la sucesión transcurrió como lo establecían la Constitución y las leyes internas del partido, el Estado y el gobierno.

Raúl Castro fue elegido en 2008 como nuevo presidente, dando inicio al periodo de mayores ajustes en el funcionamiento del orden socialista desde 1976. Durante su primer periodo (2008-2013), Castro recompuso las élites del poder, deshaciéndose de importantes políticos de los años noventa y 2000. Luego de reorganizar el liderazgo estratégico del país, el nuevo mandatario comenzó una reforma económica, llamada "actualización del socialismo", que se proyectó en los "Lineamientos al VI Congreso del Partido Comunista de Cuba". Tras la aprobación del documento, que fue debatido por la población desde el nivel local hasta el nacional, en el congreso celebrado en 2011 se inició el periodo de reformas propiamente dicho.

En síntesis, el saldo de las reformas se ha concentrado en cuatro áreas: 1] la entrega de tierras en usufructo a los campesinos, con lo cual la propiedad estatal en el campo se ha reducido al mínimo; 2] la multiplicación del trabajo por cuenta propia, en un registro tres o cuatro veces mayor al que existía antes de 2011; 3] la activación del mercado de automóviles, casas, cuartos y equipos electrodomésticos, y 4] la nueva Ley Migratoria, que elimina trabas internas para la emigración, la residencia temporal o definitiva en el exterior y la repatriación. Estas medidas se han aplicado en medio de un proceso de reducción laboral del sector estatal, que tiene previsto el desplazamiento de dos millones de trabajadores al ámbito privado y que, como ha observado Carmelo Mesa Lago, ha puesto en crisis el modelo de seguridad social y ha admitido la reestratificación que vive la sociedad insular desde los noventa.

La apertura del mercado interno y el cambio en la estructura de la propiedad han avanzado lentamente en los últimos años, junto a una mayor integración de la isla al mercado mundial que ha favorecido la multiplicación de empresas mixtas. Las inversiones y los créditos también han crecido, como se evidencia en proyectos concretos de los gobiernos de Venezuela y Brasil —el ambicioso puerto del Mariel en este último caso— y, en menor medida, de Rusia y China. La ampliación del mercado interno, de la trama del comercio exterior y el aumento de las remesas de la emigración colocan a la economía cubana en un proceso de capitalización.

Sin que el gobierno lo asuma, naturalmente, algunas de las medidas emblemáticas del orden socialista cubano, construido en los años sesenta e institucionalizado en los setenta, como la reforma urbana de 1960, la Ley de Reforma Agraria de 1963 o todos los decretos que acreditaban la estatización de los servicios personales y familiares durante la "Ofensiva Revolucionaria" de 1968, han sido derogados en los últimos tres años.

Desde una perspectiva histórica, esos "cambios estructurales", como los ha designado el gabinete económico del gobierno de Raúl Castro, podrían ser interpretados como el desmontaje de una parte de la sociedad socialista construida desde los años sesenta, aunque preservando la matriz institucional codificada en la Constitución de 1976 y la legislación complementaria que la acompaña.

Si en 1976 la Revolución terminaba porque se institucionalizaba y se constituía jurídica y políticamente, podría afirmarse que, en los últimos tres años, el orden socialista, creado por el cambio revolucionario, comienza a ser removido. Todo parece indicar que se ha iniciado un proceso de reformas en Cuba, inicialmente en el orden económico y migratorio que, en buena medida, reconoce la evidente transformación que ha vivido la sociedad cubana entre fines del siglo XX y principios del XXI. Esa sociedad, cada vez más heterogénea y globalizada, demandaba un cambio, que el gobierno de Raúl Castro ha echado a andar, aunque dejando fuera del mismo el régimen político de partido único, la ideología de Estado y el control gubernamental de la sociedad civil y la esfera pública.

En el orden internacional, las reformas emprendidas por el gobierno de Raúl Castro han dejado un saldo favorable, que se manifiesta en el mejoramiento de relaciones con toda América Latina y no únicamente con los gobiernos de la Alianza Bolivariana, como lo ejemplifica la presidencia pro témpore de la Comunidad de Estados Latinoamericanos y del Caribe (CELAC), ejercida por La Habana en 2013. A esa reinserción pragmática en el entorno latinoamericano siguió el anuncio, el 17 diciembre de 2014, del restablecimiento de relaciones entre Estados Unidos y Cuba que hicieron, en discursos simultáneos, el presidente Barack Obama desde Washington y Raúl Castro desde La Habana.

La normalización diplomática entre Estados Unidos y Cuba pone fin a un diferendo de más de medio siglo, pero el conflicto entre ambos gobiernos se mantiene por la persistencia del embargo comercial y las discordancias ideológicas y políticas que caracterizan el vínculo entre dos regímenes vecinos y antagónicos: el socialismo cubano y la democracia norteamericana. En los meses que siguieron al anuncio del restablecimiento de relaciones, dos delegaciones de ambos países, encabezadas por la subsecretaria del Departamento de Estado Roberta Jacobson y la viceministra de Relaciones Exteriores Josefina Vidal, han iniciado formalmente negociaciones bilaterales, que a menudo se ven interpeladas por declaraciones de altos dirigentes de uno u otro gobierno. La normalización diplomática constituye, sin embargo, un hito en la historia hemisférica, que afianza la integración de la isla al sistema interamericano y facilita el reingreso de Cuba a foros interamericanos y, eventualmente, a la OEA, dando término a un vestigio geopolítico de la Guerra Fría

A sus 85 años, Raúl Castro sigue siendo el presidente constitucional de Cuba. En su última reelección, Castro anunció que en febrero de 2018, cuando se instale el nuevo Consejo de Estado, se retiraría del poder y exhortó a convertir en una práctica institucional la no reelección luego de dos periodos consecutivos en todos los cargos públicos del país. A la sucesión que se vivió a mediados de la primera década del siglo XXI seguirá, entonces, una segunda sucesión que enfrentará el reto de la renovación generacional dentro de la clase política cubana. Tocará, por lo visto, a esa nueva generación de políticos cubanos encarar la postergada reforma del sistema político heredado de la Revolución de 1959.

BIBLIOGRAFÍA

PERIÓDICOS Y REVISTAS

Cuba Socialista (1961-1967)
Bohemia (1948-1960)
Diario de la Marina (1948-1960)
El Mundo (1956-1965)
Granma (1965-2012)
Noticias de Hoy (1952-1962)
Revolución (1959-1965)

LIBROS Y ARTÍCULOS

Águila, Juan del, Cuba: Dilemmas of a Revolution, Boulder, Westview Press, 1984.

Álvarez, José, Principio y fin del mito fidelista, Victoria, Canadá, Trafford Publishing, 2008.

Ameringer, Charles D. , The Cuban Democratic Experience. The Auténtico Years, 1944-1952, Gainesville, University Press of Florida, 2000.

Anderson, Jon Lee, Che Guevara. Una vida revolucionaria, Barcelona, Anagrama, 2006.

Annino, Antonio, Dall'insurrezione al regime. Politiche di massa e stratgie intituzionalo a Cuba. 1953-1965, Milán, Franco Angeli Editore, 1984.

Argote-Freyre, Frank, Fulgencio Batista: From Revolutionary to Strongman, New Brunswick, Rutgers University Press, 2006.

Azcuy, Hugo, "La reforma de la constitución socialista de 1976", en Haroldo Dilla (ed.), La democracia en Cuba y el diferendo con Estados Unidos, La Habana, Ediciones CEA, 1995, pp. 149-168.

Bambirra, Vania, *La Revolución Cubana. Una reinterpretación*, México, Nuestro Tiempo, 1974.

Barroso, Miguel, *Un asunto sensible. Tres historias cubanas de crimen y traición*, Barcelona, Mondadori, 2009.

Batista, Fulgencio, *Respuesta*, México, Imprenta de Manuel León Sánchez, 1960.

——, *Piedras y leyes*, México, Editorial Botas, 1961.

——, *Dos fechas. Aniversarios y testimonios*, México, Editorial Botas, 1973.

Bell Lara, José, Delia Luisa López y Tania Caram, *Documentos de la Revolución Cubana. 1960*, La Habana, Editorial de Ciencias Sociales, 2007.

——, *Documentos de la Revolución Cubana. 1961*, La Habana, Editorial de Ciencias Sociales, 2008.

——, *Documentos de la Revolución Cubana. 1962*, La Habana, Editorial de Ciencias Sociales, 2009.

Benemelis, Juan F., *Las guerras secretas de Fidel Castro*, Miami, Fundación Elena Mederos, 2002.

Blight, James G., y Peter Kornbluh, *Politics of Illusion. The Bay of Pigs Invasion Reexamined*, Boulder, Lynne Rienner Publishers, 1998.

Bobes, Velia Cecilia, *Los laberintos de la imaginación. Repertorio simbólico, identidades y actores del cambio social en Cuba*, México, El Colegio de México, 2000.

——, *La nación inconclusa. (Re) constituciones de la ciudadanía y la identidad nacional en Cuba*, México, Porrúa–Flacso, 2007.

Bonachea, Ramón L., y Marta San Martín, *The Cuban Insurrecction: 1952-1959*, New Brunswick, Transaction Books, 1974.

Boti, Regino, y Felipe Pazos, *Agunos aspectos del desarrollo económico de Cuba. Tesis del M-26-7*, La Habana, Delegación del Gobierno en el Capitolio Nacional, 1959.

Buch Rodríguez, Luis M., *Gobierno revolucionario cubano: génesis y primeros pasos*, La Habana, Editorial de Ciencias Sociales, 1999.

Buch Rodríguez, Luis M., y Reinaldo Suárez, *Gobierno revolucionario cubano. Primeros pasos*, La Habana, Editorial de Ciencias Sociales, 2009.

Carranza Valdés, Julio, Luis Gutiérrez Urdaneta y Pedro Monreal González, *Cuba, la reestructuración de la economía. Una propuesta para el debate*, La Habana, Editorial de Ciencias Sociales, 1995.

Castañeda, Jorge, *La utopía desarmada*, México, Joaquín Mortiz, 1993.

Castillo Bernal, Andrés, *Cuando esta guerra se acabe. De las montañas al llano*, La Habana, Editorial de Ciencias Sociales, 2000.

Castro, Fidel, *La historia me absolverá*, La Habana, Ediciones del Consejo de Estado, 1993.

——, *La victoria estratégica. Por todos los caminos de la Sierra*, México, Ocean Sur, 2011.

Castro, Raúl, y Che Guevara, *Diarios de guerra*, Madrid, La Fábrica, 2006.

Chase, Michelle, "The Trials: Violence and Justice in the Aftermath", en Greg Grandin y Gilbert Joseph (eds.), *A Century of Revolution. Insurgent and Counterinsurgent Violence during Latn America's Long Cold War*, Durham, Duke Universsity Press, 2010, pp. 163-198.

Chomsky, Aviva, *A History of a Cuban Revolution*, Chichester, Wiley-Blackwell, 2011.

Cuesta, Leonel de la, *Constituciones cubanas. Desde 1812 hasta nuestros días*, Nueva York, Ediciones Exilio, 1974.

——, *Constituciones cubanas. Volumen II*, Miami, Alexandria Library, 2007.

Cuesta Braniella, José María, *La resistencia cívica en la batalla de liberación de Cuba*, La Habana, Editorial de Ciencias Sociales, 1997.

Díaz Castañón, María del Pilar, *Ideología y revolución. Cuba, 1959-1962*, La Habana, Editorial de Ciencias Sociales, 2004.

—— (comp.), *Prensa y Revolución: la magia del cambio*, La Habana, Editorial de Ciencias Sociales, 2010.

Dilla, Haroldo (ed.), *La democracia en Cuba y el diferendo con los Estados Unidos*, La Habana, Ediciones CEA, 1995.

Domínguez, Jorge I., *Cuba: Order and Revolution*, Cambridge, Harvard University Press, 1978.

Draper, Theodore, *Castro's Revolution: Myths and Realities*, Nueva York, Praeger, 1962.

——, *Castroism: Theory and Practice*, Nueva York, Praeger, 1965.

Eckstein, Susan Eva, *Back from the Future. Cuba under Castro*, Nueva York, Routledge, 2003.

Fagen, Richard, *The Transformation of Political Culture in Cuba*, Stanford, Stanford University Press, 1969.

Farber, Samuel, *The Origins of the Cuban Revolution Reconsidered*, Chapel Hill, The University of North Carolina Press, 2006.

——, *Revolution and Reaction in Cuba, 1933-1960. A Political Sociology from Machado to Castro*, Middletown, Wesleyan University, 2007.

Fernández, Damián J., *Cuba and the Politics of Passion*, Austin, University of Texas Press, 2000.

Figueroa, Javier, *El exilio en invierno. Miguel Figueroa y Miranda. Diario del destierro*, San Juan, Puerto Rico, Callejón, 2008.

Franqui, Carlos, *Diario de la Revolución Cubana*, Madrid, Ruedo Ibérico, 1976.

——, *Retrato de familia con Fidel*, Barcelona, Seix Barral, 1981.

Fuente, Alejandro de la, *Una nación para todos. Raza, desigualdad y política en Cuba. 1900-2000*, Madrid, Editorial Colibrí, 2000.

García Pérez, Gladys Marel, *Insurrection and Revolution: Armed Struggle in Cuba, 1952-1959*, Boulder, Lynne Rienner Publishers, 1998.

Gleijeses, Piero, *Conflicting Missions. Havana, Washington, and Africa. 1959-1976*, Chapel Hill, The University of North Carolina Press, 2002.

——, *Visions of Freedom. Havana, Washington, Pretoria, and the Struggle for Southern Africa. 1976-1991*, Chapel Hill, The University of North Carolina Press, 2013.

Grandin, Greg, y Gilbert Joseph (eds.), *A Century of Revolution. Insurgent and Counterinsurgent Violence during Latin America's Long Cold War*, Durham, Duke Universsity Press, 2010.

Guerra, Lillian, "Beyond Paradox: Counterrevolution and the Origins of Political Culture in the Cuban Revolution", en Greg Grandin y Gilbert Joseph (eds.), *A Century of Revolution. Insurgent and Counterinsurgent Violence during Latin America's Long Cold War*, Durham, Duke Universsity Press, 2010, pp. 199-238.

——, *Visions of Power in Cuba. Revolution, Redemption, ad Resistence, 1959-1971*, Chapel Hill, The University of North Carolina Press, 2012.

Guerra Vilaboy, Sergio, y Alejo Maldonado, *Historia de la Revolución Cubana. Síntesis y comentario*, Quito, Ediciones de la Tierra, 2005.

Guevara, Ernesto, *Pasajes de la guerra revolucionaria*, México, Ocean Sur, 2003.

——, *La guerra de guerrillas*, México, Ocean Sur, 2004.

——, *El gran debate. Sobre la economía en Cuba*, México, Ocean Sur, 2005.

——, *El socialismo y el hombre en Cuba*, México, Ocean Sur, 2006.

——, *Apuntes críticos a la economía política*, México, Ocean Sur, 2006.

Hart, Armando (ed.), *Aldabonazo. Inside the Cuban Revolitionary Underground. 1952-58*, Nueva York, Pathfinder, 2004.

Hernández González, Pablo J., *Guerras africanas de Cuba. 1963-1977*, San Juan, Puerto Rico, Biblioserve, 2009.

Horowitz, Irving Louis, *El comunismo cubano: 1959-1979*, Madrid, Editorial Playor, 1978.

Ibarra Guitart, Jorge, *La SAR: dictadura, mediación y revolución. 1952-1955*, La Habana, Editorial de Ciencias Sociales, 1995.

——, *El fracaso de los moderados*, La Habana, Editorial de Ciencias Sociales, 2000.

——, *Sociedad de Amigos de la República*, La Habana, Editorial de Ciencias Sociales, 2003.

Kapcia, Antoni, *Cuba in Revolution: A History since the Fifties*, Londres, Reaktion Books, 2008.

LeoGrande, William M., y Peter Kornbluh, *Back Channel to Cuba. The Hidden History of Negotiations between Washington and Havana*, Chapel Hill, The University of North Carolina Press, 2014.

Llerena, Mario, *La revolución insospechada. Origen y desarrollo del castrismo*, Buenos Aires, Editorial Universitaria de Buenos Aires, 1981.

López Civeira, Francisca, Oscar Loyola Vega y Arnaldo Silva León, *Cuba y su historia*, La Habana, Editorial Gente Nueva, 1998.

López Rivero, Sergio, *El viejo traje de la Revolución. Identidad, mito y hegemonía política en Cuba*, Valencia, Universidad de Valencia, 2007

López Segrera, Francisco, *Raíces históricas de la Revolución Cubana (1868-1959)*, La Habana, Ediciones Unión, 1980.

Márquez Sterling, Carlos, *Historia de Cuba*, Nueva York, Las Américas Publishing Company, 1969.

Marrero, Leví, *Geografía de Cuba*, Nueva York, Minerva Books, 1966.

Mesa-Lago, Carmelo, *Breve historia económica de la Cuba socialista. Política, resultados y perspectivas*, Madrid, Alianza Editorial, 1994.

Morales, Salvador E., y Laura del Alizal, *Dictadura, exilio e insurrección. Cuba en la perspectiva mexicana, 1952-1958*, México, Secretaría de Relaciones Exteriores, 1999.

Morán, Lucas, *La Revolución Cubana (1953-1959): una versión rebelde*, Ponce, Puerto Rico, Imprenta Universitaria, 1980.

Oltuski, Enrique, *Gente del Llano*, La Habana, Imagen Contemporánea, 2011.

Padrón, José Luis, y Luis Adrián Betancourt, *Batista. Últimos días en el poder*, La Habana, Ediciones Unión, 2008.

Paterson, Thomas G., *Contesting Castro: The United States and Triumph of the Cuban Revolution*, Oxford, Oxford University Press, 1994.

Pérez, Louis A. Jr., *The Cuban Revolutionary War, 1953-1958: A Bibliography*, Metuchen, The Scarecrow Press, 1976.

——, *Cuba. Between Reform and Revolution*, Nueva York, Oxford University Press, 1988.

——, *Cuba in The American Imagination. Metaphor and the Imperial Ethos*, Chapel Hill, The University of North Carolina Press, 2008.

Pérez Cabrera, Ramón, *De Palacio hasta Las Villas. En la senda del triunfo*, La Habana, Nuestra América, 2007.

Pérez Stable, Marifeli, *The Cuban Revolution. Origins, Course, and Legacy*, Nueva York, Oxford University Press, 1999.

Pettinà, Vanni, *Cuba y Estados Unidos, 1933-1959. Del compromiso nacionalista al conflicto*, Madrid, Catarata, 2011.

Pogolotti, Graziella (ed.), *Polémicas culturales de los 60*, La Habana, Letras Cubanas, 2006.

Rensoli Medina, Rolando Julio (comp.), *La historiografía de la Revolución Cubana. Reflexiones a 50 años*, La Habana, Editora Historia, 2010.

Riera Hernández, Mario, *Cuba republicana (1898-1955)*, Miami, Ediciones AIP, 1974.

Rodríguez, Carlos Rafael, *Letra con filo*, La Habana, Editorial de Ciencias Sociales, dos tomos, 1983.

Rodríguez, José Luis, *Desarrollo económico de Cuba. 1959-1988*, México, Editorial Nuestro Tiempo, 1990.

Rodríguez Arechavaleta, Carlos Manuel, "Cuba 1940-1952. Una democracia presidencial multipartidista. Un estudio de estrategias, coordinaciones y quiebres electorales", tesis doctoral, Facultad Latinoamericana de Ciencias Sociales, México, 2003.

Rojas, Rafael, *El arte de la espera. Notas al margen de la política cubana*, Madrid, Editorial Colibrí, 1998.

——, *Tumbas sin sosiego. Revolución, disidencia y exilio del intelectual cubano*, Barcelona, Anagrama, 2006.

——, *La máquina del olvido. Mito, historia y poder en Cuba*, México, Taurus, 2012.

Roy, Joaquín, *La siempre fiel. Un siglo de relaciones hispano-cubanas (1898-1998)*, Madrid, Instituto Universitario de Desarrollo y Cooperación–Catarata, 1998.

Ruiz, Ramón Eduardo, *Cuba. Génesis de una Revolución*, Barcelona, Noguer, 1972.

Sánchez Arango, Aureliano, *Trincheras de ideas y de piedras*, San Juan, Puerto Rico, Editorial San Juan, 1972.

Schwartz, Stuart, *Sea of Storms: A History of Hurricanes in the Great Caribbean from Columbus to Katrina*, Princeton, Princeton University Press, 2015.

Silva León, Arnaldo *Breve historia de la Revolución Cubana*, La Habana, Editorial de Ciencias Sociales, 2003.

Sweig, Julia E., *Inside the Cuban Revolution*, Cambridge, Massachusetts, Harvard University Press, 2002.

Thomas, Hugh, *Historia contemporánea de Cuba. De Batista a nuestros días*, Barcelona, Grijalbo, 1982.

Tutino, Saverio, *Breve historia de la Revolución Cubana*, México, Ediciones Era, 1979.

Urrutia Lleó, Manuel, *Democracia falsa y falso socialismo. Post-castrismo y castrismo*, Nueva Jersey, Vega Publishing Company, 1975.

V.V. A.A., *México y Cuba. Dos pueblos unidos en la historia*, México, Centro de Investigación Científica Jorge L. Tamayo, dos vols., 1982.

Whitney, Robert, *State and Revolution in Cuba. Mass Mobilization and Political Change, 1920-1940*, Chapel Hill, The University of North Carolina Press, 2001.

Winocur, Marcos, *Las clases olvidadas de la Revolución Cubana*, Barcelona, Editorial Crítica, 1978.

Zanetti, Oscar, *La República. Notas sobre economía y sociedad*, La Habana, Editorial de Ciencias Sociales, 2006.

——, *Economía azucarera cubana. Estudios históricos*, La Habana, Editorial de Ciencias Sociales, 2009.

——, *Historia mínima de Cuba*, México, El Colegio de México, 2013.

Zeitlin, Maurice, *Revolutionary Politics and the Cuban Working Class*, Nueva York, Harper & Row, 1970.